D0512658

Le partage de l'emploi

Solution au chômage ou frein à l'emploi?

Le partage de l'emploi

*Solution au chômage
ou frein à l'emploi ?*

MICHAEL HUBERMAN
Professeur, Université de Montréal
Directeur de recherche, CIRANO

ROBERT LACROIX
Professeur, Université de Montréal
Président-directeur général, CIRANO

Les Presses de l'Université Laval
Sainte-Foy, 1996

Les Presses de l'Université Laval reçoivent chaque année du Conseil des Arts du Canada et de la Société de développement des entreprises culturelles du Québec une aide financière pour l'ensemble de leur programme de publications.

Données de catalogage avant publication (Canada)

Huberman, Michael

    Le partage de l'emploi : solution au chômage ou frein à l'emploi ?

    Comprend des réf. bibliogr.

    ISBN 2-7637-7490-3

    1. Partage du travail. 2. Partage du travail - Québec (Province). 3. Création d'emplois. 4. Partage du travail - Cas, Études de. I. Lacroix, Robert, 1940-   . II. Titre.

HD5110.5.H82 1996   331.25'72   C96-941212-6

Infographie
    Folio infographie

Correction
    Diane Martin

© Les Presses de l'Université Laval 1996
Tous droits réservés. Imprimé au Canada.
Dépôt légal (Québec et Ottawa), 4e trimestre 1996

Distribution Univers
845, rue Marie-Victorin
Saint-Nicolas (Québec)
Canada G0S 3L0
Tél. (418) 831-7474 ou 1 800 859-7474
Téléc. (418) 831-4021

Table des matières

Liste des tableaux

Liste des graphiques

Remerciements

Ce livre rapporte les principaux résultats d'un projet de recherche du Centre Interuniversitaire de Recherche en Analyse des Organisations (CIRANO). Ce projet de recherche a débuté par une étude exhaustive du programme de partage de l'emploi mis en place par Bell Canada en janvier 1994. En plus des deux auteurs de ce livre, Paul Lanoie, des HEC, Claude Montmarquette de l'Université de Montréal, François Raymond, professionnel de recherche au CIRANO et Bruce Shearer de l'Université Laval composaient l'équipe qui a effectué cette étude du cas Bell Canada. Le chapitre 2 a puisé largement dans les résultats de ces travaux et nous remercions nos collègues pour cette importante contribution. Cette étude de cas n'aurait pas été possible sans l'appui, les conseils et les commentaires de Pierre Chagnon qui était jusqu'à tout récemment vice-président, ressources humaines, à Bell Canada et sans le soutien de Louis A. Tanguay, président, centre d'innovation et de Guy Marier, premier vice-président, approvisionnement et service à la clientèle à Bell Canada et président du Conseil d'administration du CIRANO. Nous avons aussi grandement bénéficié des nombreuses discussions que nous avons eues avec nos collègues du CIRANO, Thomas Lemieux de l'Université de Montréal et Paul Beaudry de l'University of British Columbia. Ging Wong, de Ressources humaines Canada, a mis à notre disposition les données de l'enquête faite auprès des entreprises ayant participé au programme canadien de partage de l'emploi. Notre compréhension de la situation allemande a été grandement facilitée par les discussions que nous avons eues avec Hugh G. Mosley, Ulrich Jürgens et David Soskice du Wissenschaftszentrum Berlin. Par ailleurs, certaines données utilisées au chapitre 5 nous ont été fournies par la Deutsches Institut für Wirtschaftsforschung. Chez Volkswagen, nous avons profité des connaissances de Eva Lavon, Hans-Jürgen Uhl et Hans Peter Strömel. Nous avons eu l'aide précieuse de Sophie Lefebvre, professionnelle de recherche au CIRANO, et de Lars Vilhuber, étudiant au Ph.D. à l'Université de Montréal, dans la préparation de données statistiques et dans l'achèvement du manuscrit. Suzanne Bégin, secrétaire exécutive au CIRANO, a coordonné l'ensemble des travaux de dactylographie et de mise en pages du manuscrit et Marie-Claude Lacroix a fait la révision finale du texte. À toutes ces personnes nous devons un gros merci.

Introduction

Entre 1981 et 1995, douze pays industrialisés d'Europe ont connu un taux de chômage moyen de 9,7 % et plus de la moitié de la main-d'œuvre en chômage est restée sans emploi pour une durée supérieure à un an (Layard, 1996, p. 47). Au Canada et au Québec, depuis la fin des années 80, les taux de chômage les plus bas ont été respectivement de 7,5 % et de 9,39 % ; ils atteignaient toutefois en 1993 des sommets de 11,3 % et de 13,2 %. Aux chômeurs déclarés, il faut évidemment ajouter ceux qui, après avoir tenté de s'intégrer ou de se réintégrer dans le marché du travail pendant un certain temps, se sont découragés et ont abandonné leur recherche d'emploi. Des pays qui semblaient immunisés contre le chômage, comme l'Allemagne et la Suède, connaissent aujourd'hui des taux de chômage sans précédent depuis l'après-guerre. Des pays européens, qui étaient des modèles de stabilité de l'emploi et de taux de chômage faibles, se retrouvent maintenant avec des taux de chômage deux fois plus élevés que celui en cours actuellement aux États-Unis. C'est un renversement de situation qui s'est fait graduellement et que peu croyaient possible jusqu'au début des années 80 et même par la suite.

Plusieurs font valoir que le faible taux de chômage aux États-Unis, s'accompagne d'une croissance dans la polarisation des revenus, d'une augmentation de la pauvreté et d'une intensification de la criminalité. Est-ce vraiment le prix à payer pour un chômage plus bas ?

Dans plusieurs pays, la situation difficile des jeunes est particulièrement préoccupante, comme l'illustrent les soubresauts de contestation qu'a connus la France et le malaise qu'on observe présentement au Canada et au Québec dans ce groupe d'âge. Le blocage du marché de l'emploi n'a pas seulement une incidence sur le chômage des jeunes, mais aussi sur leur degré de motivation à poursuivre des études et à faire les efforts requis afin de se qualifier pour un marché du travail de plus en plus exigeant, mais de moins en moins accueillant pour eux. Dans leur cas, comme dans celui des travailleurs les moins qualifiés, on parle de plus en plus de phénomène d'exclusion.

En cette période difficile, chaque pays ou groupe de pays cherche sa voie. Certains pays d'Europe, qui avaient toujours fortement réglementé leur marché du travail, se demandent maintenant si cette sédimentation de réglementations et d'interventions n'est pas devenue un frein, dans le monde économique actuel, à la création d'emplois et à la réduction du chômage. Ils regardent avec envie et crainte la situation américaine en ce sens qu'ils admirent la capacité remarquable de cette économie à créer des emplois, mais se demandent si la polarisation croissante des revenus dans ce pays, avec toutes les conséquences qui en découlent, ne vient pas avec les emplois. C'est pourquoi lors de la réunion du G7 à Lyon au printemps 1996, le président Chirac s'est demandé si on ne pouvait pas trouver une voie intermédiaire entre l'approche européenne et l'approche américaine, qui permettrait une création d'emplois à l'américaine tout en protégeant une bonne partie du filet social à l'européenne. On s'est même demandé si le Canada n'avait pas trouvé le compromis.

Parmi les moyens proposés pour atténuer les problèmes de chômage et limiter l'exclusion, certains pays européens, dont la France, préconisent de plus en plus l'intensification de l'utilisation du partage de l'emploi pour limiter les mises à pied et de nouvelles réglementations sur les heures de travail, les heures supplémentaires, les congés, les vacances et la retraite pour accroître le nombre d'emplois en partageant ceux qui existent déjà. L'intensification de l'utilisation du partage de l'emploi pour éviter des mises à pied se fait de plus en plus de gré à gré au sein d'un nombre croissant d'entreprises. En examinant ces ententes, on constate qu'elles servent dans la plupart des cas à obtenir une flexibilité qu'on n'avait plus et à réduire de diverses façons le coût du travail, d'où leur intérêt pour les entreprises et l'économie française. On est loin, toutefois, du consensus sur la réglementation des heures, des congés, etc. Le débat est vif et l'issue, pour le moment, incertaine. En Allemagne, le pacte pour l'emploi, que l'on croyait à peu près scellé, est globalement remis en cause par le patronat qui juge la générosité des conditions présentes de travail incompatible non seulement avec la relance mais même avec le maintien de l'emploi dans l'économie actuelle.

Aux États-Unis, la grande préoccupation, c'est la possibilité de surchauffe du marché du travail et la relance de l'inflation. On est bien loin de se demander si l'on devrait partager l'emploi pour en augmenter le nombre. Au Canada et surtout au Québec, le partage de l'emploi a été mis de l'avant comme étant un moyen incontournable pour réduire le chômage, pour arriver à une insertion meilleure et plus rapide des jeunes sur le marché du travail et pour atténuer le phénomène d'exclusion. Avant que trop d'espoirs soient mis dans cette approche, nous avons cru qu'il était important de bien comprendre les éléments d'une telle politique, d'en évaluer les avantages et les inconvénients dans une perspective comparative et de tirer un certain nombre de conclusions susceptibles d'éclairer les décisions qu'on devrait prendre à cet égard dans un avenir prochain.

Les fruits de nos recherches et de nos réflexions se partagent en cinq chapitres.

Dans un premier chapitre, nous situons dans son contexte historique le partage de l'emploi comme moyen de stabiliser l'emploi. Nous constatons alors deux phénomènes. D'abord, le partage de l'emploi a été utilisé aussitôt que l'industrialisation se fut consolidée en Europe, à savoir à partir du milieu du 19e siècle. Ensuite, très rapidement, au début du 20e siècle, l'Amérique du Nord a suivi un

cheminement fort différent quant aux liens d'emploi entre travailleurs et employeurs. Sur ce continent, le partage de l'emploi, peu
utilisé avant la deuxième guerre mondiale, a presque disparu après
1945. Cette perspective historique est fort importante. En effet, les
institutions, les lois, les formes de contrat et les habitudes émergent
et se façonnent au cours de l'histoire en fonction d'une réalité per-
sistante et deviennent par la suite des contraintes importantes aux
changements de cette réalité et à la transférabilité d'une société à
une autre des modes de comportement et d'adaptation aux changements.

Deux programmes particuliers de partage de l'emploi implantés
récemment dans deux grandes entreprises de deux pays différents,
Bell Canada et Volkswagen, illustrent bien ce qui précède. Les résultats de l'étude de ces deux programmes sont présentés aux chapitres 2 et 3. On tente alors de comprendre l'échec relatif de l'un des
programmes, celui de Bell, et le succès jusqu'à maintenant reconnu
de l'autre programme, celui de Volkswagen. On voit à quel point
l'histoire des relations de travail dans ces entreprises et du partage
de l'emploi dans les pays où elles se situent sont des facteurs expli-
catifs dominants des résultats obtenus.

Au chapitre 4, nous passons du particulier au général en nous
demandant quelle est vraiment l'incidence de politiques de partage
de l'emploi sur l'emploi, la productivité du travail et, à terme, sur
la croissance économique. Nous constatons alors qu'il est essentiel
de distinguer trois cas de figure : le partage de l'emploi pour stabiliser l'emploi lors de variations conjoncturelles et de court terme
de la demande ; le partage de l'emploi visant à atténuer la baisse des
emplois lors de changements structurels d'importance ; et les
modifications des réglementations et des lois régissant les heures de
travail, les conditions des heures supplémentaires, les congés, les
vacances et la retraite, dans le but de réduire le temps de travail de
ceux qui ont des emplois pour permettre à d'autres travailleurs en
chômage d'obtenir des emplois en occupant ce temps de travail
libéré. Nous situons ces cas de figure dans le contexte de l'Europe
et de l'Amérique du Nord. À la fin de ce chapitre, nous nous posons

les questions suivantes : réussira-t-on dans certains pays européens à utiliser avec succès le partage de l'emploi afin d'atténuer les effets des chocs structurels sur l'emploi ? En d'autres mots, le modèle qui a bien fonctionné dans ces pays pour des modulations de court terme de la production, peut-il être utilisé lorsqu'il s'agit non pas de modulations temporaires de l'emploi, mais de disparitions définitives de certains emplois et de la création d'autres emplois différents ? Ensuite, serait-il possible et surtout opportun de transférer au Canada et au Québec cette approche européenne dans le présent contexte économique ? Le chapitre 5 tente d'apporter des éléments de réponses à ces questions.

La conclusion situe le partage de l'emploi parmi l'ensemble des instruments susceptibles de relancer l'emploi et de réduire le chômage. Nous montrons en quoi et comment les résultats de nos propres recherches et ceux d'une abondante documentation sur le sujet peuvent être utiles pour alimenter le débat de société particulièrement intense au Québec présentement et pour guider les décisions qui seront prises par nos gouvernements dans l'avenir.

CHAPITRE 1

Histoire contemporaine du partage de l'emploi

L'utilisation de la variation des heures de travail pour réduire les mises à pied s'inscrit dans une longue tradition en Europe. En effet, avant même la venue des premières grandes usines, lorsque le travail était dispersé à travers la campagne, il était normal pour un ménage de diviser son temps de travail entre l'agriculture et l'industrie. Les heures consacrées au filage et au tissage, par exemple, dépendaient tout autant des exigences des saisons pour l'agriculture que des pressions de la demande des produits manufacturés. Le travail s'effectuait sans interruption sept jours par semaine et ne s'arrêtait que le temps d'un congé coutumier ou rituel. À la fin du 18ᵉ siècle, dans les toutes premières usines établies à Manchester [Angleterre], le berceau de la révolution industrielle, les travailleurs continuaient à combiner en milieu de travail le loisir et le travail[1]. Les habitudes de la période préindustrielle étaient solidement ancrées dans les mœurs et dans certains cas, comme celui de l'industrie métallurgique, les heures irrégulières ont prévalu jusqu'à la fin du 19ᵉ siècle (Hopkins 1982).

---

1. Pour le cas de la Grande-Bretagne, ce chapitre tire ses conclusions du matériel dans Huberman (1996). Pour une discussion plus détaillée du partage de l'emploi de la révolution industrielle à 1945, voir Huberman et Lacroix (1996).

Les employeurs de l'industrie du textile, secteur d'avant-garde de l'époque, ayant investi considérablement dans la machinerie nouvelle, comme des moteurs à vapeur et de plus longs et plus gros filoirs, exigeaient de longues heures régulières de travail pour amortir les coûts de ces équipements. C'est ainsi qu'en 1830, l'usine de textile fonctionnait généralement sur une base de 72 heures par semaine. Les législations sur les heures de travail réduisirent graduellement la durée du travail si bien qu'en 1914 on passa à la journée de travail de 9 heures et, au début des années 20, à celle de 8 heures (Bienefeld 1972).

N'oublions pas que la semaine de travail fixe et la notion de fin de semaine est un phénomène récent établi en Grande-Bretagne vers 1890. D'autres pays, comme la France, furent plus lents à adopter cette « semaine anglaise » qui était d'ailleurs vivement méprisée par les travailleurs et les entrepreneurs de l'époque (Cross 1989).

Pourquoi a-t-on attendu si longtemps avant de réduire la semaine normale de travail ? Il est difficile de croire que nos contemporains ne connaissaient pas l'impact négatif de longues heures de travail sur la santé et sur la productivité des travailleurs. Une explication possible est qu'au début de la période d'industrialisation il n'existait pas d'engagement sérieux entre la firme et ses travailleurs (Pigou 1932). La main-d'œuvre était composée d'hommes, de femmes et d'enfants de tous les âges, et les employeurs ne semblaient pas percevoir les bénéfices qu'auraient pu leur apporter une main-d'œuvre stable et qualifiée. De leur côté, les travailleurs ne voyaient pas bien le rôle qu'ils devaient jouer dans ce nouveau monde industriel et l'ensemble des bénéfices qu'ils pouvaient par la suite en retirer. Ainsi, le premier stade de l'industrialisation en Angleterre fut marqué par de fréquents changements de personnel ainsi que par très peu de partage de l'emploi et de temps de travail réduit.

L'avènement du partage de l'emploi en Europe

À la fin de la première génération de travail industriel [vers 1850], on a commencé à percevoir les bénéfices de l'attachement des employés à leur entreprise et de l'employeur à ses employés. Les travailleurs de cette génération, qui avaient rompu les liens avec le milieu rural, se retrouvant sans pension lors d'une retraite, sans assurance en cas de maladie ou de perte d'emploi, étaient à la recherche d'un lien d'emploi durable impliquant une certaine protection contre les aléas de la vie. C'est aussi à ce stade du développement industriel que les femmes et les enfants commencèrent à se retirer du marché du travail, la tradition de l'homme comme principal pourvoyeur de la famille faisant son apparition. Du point de vue de l'entreprise, le haut taux de roulement du personnel s'avérait de plus en plus coûteux. En effet, un niveau de compétence croissant dans le secteur textile, par exemple, exigeait un transfert graduel des connaissances des travailleurs expérimentés aux recrues qui les assistaient. L'attachement à long terme des travailleurs à l'entreprise était précisément une modalité qui incitait ces derniers à mieux développer et transmettre leurs compétences spécifiques et permettait aussi à l'entreprise de récolter la totalité des bénéfices de l'apprentissage en milieu de travail, ce qui amortissait les coûts d'acquisition d'une telle formation.

C'est dans ce contexte que la réduction des heures de travail et le partage de l'emploi sont devenus en Angleterre un moyen important pour maintenir les liens d'emploi entre l'entreprise et ses employés. En effet, à partir des années 1850, les entreprises ont utilisé de plus en plus la réduction du temps de travail comme moyen de stabiliser l'emploi lors d'une réduction de la production exigée par une baisse de la demande (Huberman 1995). Ainsi, il était fréquent d'avoir des réductions de deux heures par jour dans la semaine régulière de 60 heures, ce qui diminuait le temps de production de 20 %. Par ailleurs, il n'y a aucun doute que l'utilisation du temps réduit pendant les récessions, même si les heures demeuraient longues, permettait aux travailleurs de récupérer et de se préparer à un retour aux longues heures de travail des périodes d'expansion.

Sur le continent européen, les heures de travail ont évolué de façon similaire. En Allemagne, par exemple, après les guerres napoléoniennes, le manque de personnel qualifié et son fort roulement étaient un problème persistant des firmes (Lee 1978). Elles ont donc encouragé la mise en place d'un système d'apprentissage afin d'accroître la stabilité des employés et de les inciter à investir davantage dans des compétences spécifiques. À la même époque, les grandes entreprises commencèrent à utiliser la réduction du temps de travail en période de récession afin d'accroître la stabilité des liens d'emploi et d'augmenter l'incitation des travailleurs à investir dans leurs compétences propres à l'entreprise (Kocka 1987). Déjà, dans les années 1850, le secteur industriel allemand était bien en place avec une main-d'œuvre stable et qualifiée.

L'avènement du partage de l'emploi en Amérique du Nord

Au cours du 19e siècle et au début du 20e siècle, en Amérique du Nord, le partage de l'emploi n'était pas inconnu des firmes et elles l'utilisaient de façon cyclique pendant les périodes de diminution de la production (Keyssar 1986). Toutefois, il existait des différences importantes entre l'Europe et l'Amérique du Nord dès cette époque. En Amérique du Nord, les travailleurs qualifiés étaient très mobiles et les firmes allaient même les recruter chez leurs compétiteurs. Même si cette pratique était connue en Europe, les employeurs tâchaient de développer une certaine complicité afin d'éviter ce maraudage. En bref, en Amérique du Nord, il n'existait pas de programme d'apprentissage bien établi et les travailleurs quittaient leur emploi sans préavis (Elbaum 1989). Les travailleurs nord-américains n'investissaient pas dans leurs compétences organisationnelles, ils utilisaient plutôt la mobilité pour améliorer leur situation. En comparaison avec les employeurs européens, les firmes américaines et canadiennes étaient plus susceptibles d'offrir des contrats de court terme et de renvoyer les travailleurs avant la fin de leur contrat (Jacoby 1982). C'est dans ce contexte que les firmes nord-américaines ont investi dans les technologies et des organisations de travail qui nécessitaient moins de travailleurs qualifiés (Lazonick 1990). Cette divergence entre l'Europe et l'Amérique du Nord quant à l'utilisation du partage du travail pour stabiliser l'emploi en période de récession devint tout à fait claire après la Première Guerre mondiale.

Le partage de l'emploi dans la première moitié du 20e siècle

Au début du 20e siècle, en Angleterre, la réduction des heures de travail avait évolué de façon telle qu'elle était utilisée couramment mais sans règle précise. La tradition des heures de travail réduites fut maintenue dans les principaux secteurs lors de l'introduction dans ce pays de la législation initiale de l'assurance-chômage de 1907 (Gilson 1931 ; Royal Commission 1931). La législation de 1920 permit aux travailleurs en chômage partiel, c'est-à-dire en situation de partage de l'emploi, d'être indemnisés par l'assurance-chômage. À quelques exceptions près, les heures de travail réduites s'étendaient à la grandeur de la Grande-Bretagne durant les récessions des années 1920 et 1930 (Thomas 1988 ; Whiteside 1985).

En Allemagne, les développements furent assez similaires[2]. Dans son étude détaillée des heures de travail et du chômage des employés membres d'un syndicat pendant les années 20, Woytinsky (1931) rapportait qu'en moyenne 25 % des travailleurs syndiqués avaient des heures de travail réduites en 1925 et 1926. Les proportions variaient selon le secteur. Le maximum dans l'industrie du textile était de 27,7 % tandis qu'il s'élevait à 60 % dans l'industrie de la chaussure. En 1927, la loi de l'assurance-chômage permettait l'indemnisation du chômage partiel et consacrait donc l'utilisation du temps de travail réduit pour stabiliser l'emploi (Weigart 1934).

---

2. La législation française de l'assurance-chômage reconnaissait aussi la tradition du « partage de l'emploi » (Salais, Baverez et Renaud 1986).

La grande dépression des années 30 conjugua, avec une intensité jamais atteinte depuis lors, un taux de chômage très élevé et persistant avec peu d'espoir d'en sortir à moyen terme. C'est dans ce contexte économique difficile que le Front populaire fut porté au pouvoir en France et préconisa, entre autres, le partage de l'emploi. Pour ce faire, il fit voter la fameuse loi de 1936 qui a régi jusqu'à tout récemment la durée hebdomadaire du travail et les temps de repos pour la plupart des grands secteurs de l'industrie et du commerce de l'économie française. Par cette fameuse loi, la semaine légale de travail en France était fixée à 40 heures. Il faut se rappeler qu'à cette époque la semaine de travail dans la plupart des pays industrialisés, dont le Canada, était de 50 heures et plus. Cette loi de 1936 visait donc à modifier considérablement le temps hebdomadaire moyen travaillé afin d'accroître le nombre d'individus au travail.

En Amérique du Nord, le temps réduit avait perdu de sa popularité avant même l'avènement de la législation sur l'assurance-chômage. En principe, les syndicats américains ne s'opposaient pas au partage de l'emploi et, durant les années 30, on trouve des exemples de conventions collectives stipulant les conditions et modalités du partage de l'emploi (Jacoby 1985, 1993). Toutefois, de façon générale, les entreprises utilisèrent le temps réduit de façon discrétionnaire et arbitraire. Chez Bethlehem Steel, par exemple, durant la grande dépression, le travail restant était partagé entre les « travailleurs efficaces et loyaux », les autres étant licenciés. Chez U.S. Steel, à la même époque, les employés ont vu le partage de l'emploi comme un moyen de plus entre les mains des contremaîtres pour favoriser certains employés au détriment des autres (Cohen 1990 ; Jacoby 1985). L'expérience des travailleurs de l'industrie du caoutchouc fut similaire. Peu à peu les travailleurs confirmeront leur perception que les entreprises utilisaient les heures réduites de façon arbitraire et sans engagement quant à la sécurité d'emploi. C'est pourquoi, en réponse au président Hoover et aux groupes d'employeurs qui avaient vigoureusement fait la promotion du partage de l'emploi en 1931 et 1932, la plupart des syndicats ont dénoncé ces propositions comme étant essentiellement des moyens de « partager la misère ». C'est dans ce contexte que le *Black-Connery Bill*, qui voulait limiter la semaine de travail à 30 heures dans le but de partager les emplois, passa au Sénat mais fut défait en Chambre en 1933.

En somme, avant même la Deuxième Guerre mondiale, les syndicats affirmaient que les dispositions existantes du partage de l'emploi étaient des concessions presque forcées et ils se sont battus afin d'obtenir des contrats spécifiant des jours de travail ou des semaines de travail fixes (Briggs 1987)[3]. Par ailleurs, il est intéressant de noter que les législations de l'assurance-chômage américaine et canadienne des années 30 et de l'après-guerre ont accordé très peu d'attention au partage de l'emploi.

En résumé, bien avant la seconde guerre mondiale, les marchés du travail américains et européens affichaient des approches différentes pour les heures de travail. Même si, sur les deux continents, une semaine de travail normale était établie, la semaine de travail moyenne était, dans plusieurs cas, plus longue en Europe qu'en Amérique du Nord. En Europe, les entreprises offraient une stabilité d'emploi par une utilisation intensive de réductions généralisées des heures de travail lors de récessions. En Amérique du Nord, c'est par l'ancienneté que le travailleur acquérait d'abord une permanence, puis une stabilité de plus en plus grande de son emploi. Ces modalités différentes de fonctionnement du marché du travail furent, par la suite, officiellement reconnues par la législation de l'assurance-chômage en Europe et par les conventions collectives et les contrats de travail en Amérique du Nord. En Europe, les travailleurs n'ont pas douté que l'entreprise honorerait ses engagements quant au partage du travail pour stabiliser l'emploi. Pour répondre à une contraction de la demande de leurs produits, les entreprises réduisaient les heures équitablement et les travailleurs

---

3. Si l'engagement des employeurs pour les heures et l'ancienneté était rompu, les travailleurs pouvaient répondre de façon stratégique en limitant la production (Mathewson 1969).

évitaient les mises à pied. En contrepartie de cette stabilité, les travailleurs étaient incités à investir dans l'acquisition de compétences propres à l'entreprise qui les employait. En Amérique du Nord, l'histoire du partage de l'emploi et des mises à pied amenèrent les travailleurs à favoriser l'ancienneté comme moyen d'acquérir la stabilité de l'emploi. Cette approche influença les législations sur le marché du travail, le contenu des conventions collectives et des contrats de travail. C'est pourquoi, dès 1945, les marchés du travail européens et nord-américains suivaient des cheminements différents quant au partage de l'emploi.

Le partage de l'emploi après 1945

De l'après-guerre jusqu'au début des années 70, le niveau du chômage, sa persistance et les perspectives de l'emploi à moyen terme ne furent jamais tels que la question du partage de l'emploi se posa vraiment même si certains pays européens poursuivaient l'utilisation de la variation des heures pour stabiliser l'emploi en période de basses conjonctures. En effet, dans l'immédiat après-guerre, l'Europe devait se reconstruire en comptant sur une main-d'œuvre largement décimée par la guerre. Les États-Unis et le Canada virent la demande globale de leur économie se maintenir à un niveau très élevé non seulement parce qu'ils participaient à l'effort de reconstruction de l'Europe, mais aussi parce que la position financière des consommateurs, qui avaient épargné beaucoup durant la guerre à cause des rationnements, était à son mieux. Les craintes qu'on avait entretenues d'une grave récession d'après-guerre imputable à la reconversion de l'industrie de l'armement se révélèrent sans fondements. Au contraire, l'après-guerre marqua le début d'une très longue période de croissance élevée et soutenue qui dura presque trente ans. C'est ainsi que, de 1953 à 1974, le taux de chômage moyen au Canada fut de 5,2 % et oscilla entre 3 % et 7 %. En Europe, les taux de chômage furent, en général, encore plus faibles. Par ailleurs, les gouvernements bénéficièrent grandement de cette croissance soutenue en voyant s'accroître quasi automatiquement leurs recettes fiscales. Il est bon de rappeler qu'entre 1950 et 1974, soit sur une période de 25 ans, le gouvernement fédéral du Canada a connu 14 années de surplus budgétaires et les déficits enregistrés, lorsque déficits il y eut, se sont situés entre 1 % et 14 % des recettes totales de l'État.

La forte croissance économique et les taux de chômage faibles réduisirent l'intérêt pour le partage de l'emploi. Cependant, la période précédant 1980 est fort importante en ce sens que les arrangements institutionnels et légaux, hérités de la période d'avant la seconde guerre mondiale, devinrent beaucoup plus rigides. En Allemagne, les périodes obligatoires de notification avant des mises à pied massives ont été introduites en 1920, en même temps que la loi sur les comités d'entreprises. Ces réglementations furent nettement renforcées en 1952 et en 1972. C'est ainsi, par exemple, que furent spécifiés les critères selon lesquels le choix des employés devant être congédiés lors de mises à pied massives serait fait. L'ancienneté n'était pas le seul critère. L'âge, le statut matrimonial, le nombre d'individus à la charge du travailleur devaient aussi être considérés. De plus, ces lois faisaient du comité d'entreprise l'instance de recours du travailleur.

Les règles régissant les mises à pied sont beaucoup moins contraignantes en Amérique du Nord. Les contrats collectifs de travail ont protégé de plus en plus les travailleurs avec ancienneté. Les travailleurs ayant la plus grande ancienneté furent toujours les derniers à être mis à pied et les premiers rappelés lors des reprises. Ces types de contrats se multiplièrent avec l'augmentation du taux de syndicalisation. C'est ainsi qu'en 1994, dans les trois quarts des conventions collectives au Canada, on trouve que les règles de mise à pied sont essentiellement liées à l'ancienneté[4]. Cette volonté de protéger la sécurité d'emploi s'est d'ailleurs accrue dans les années 70 entraînant une augmentation du pourcentage de conventions collectives avec des clauses d'ancienneté (Giles et Starkman 1995).

---

4. Pencavel (1992) donne une proportion semblable pour les États-Unis.

Les différences dans les règles de mises à pied entre le Canada et l'Allemagne se sont évidemment traduites dans des modes différents d'ajustement aux cycles économiques. Marc Van Audenrode (1994) a produit l'étude la plus récente sur les changements relatifs des heures de travail et de l'emploi à travers un certain nombre de pays industrialisés[5]. Après avoir fait les ajustements statistiques requis, il observe que pour la période 1969-1988, la variation des heures travaillées et payées en Allemagne était environ 1,5 fois plus élevée qu'aux États-Unis et quasiment 3 fois plus élevée qu'au Canada. À l'inverse, il trouva que la variation de l'emploi était plus élevée au Canada qu'en Allemagne. Notons que cela n'implique pas qu'un système est supérieur à l'autre. En effet, d'autres études (Abraham et Houseman 1993) ont montré que la variation totale des heures travaillées [emplois x heures] est tout à fait semblable d'un pays à l'autre.

Des chocs pétroliers, une mutation industrielle d'importance, une ouverture croissante des marchés, la montée fulgurante des nouveaux pays industrialisés ont remis en cause la position relative des pays industrialisés d'Europe et d'Amérique. C'est ainsi que Jacques Drèze écrivait, au début des années 80 : « *Europe is currently experiencing a significant and lasting disequilibrium : these figures on unemployment are not disputed, and all the forecasts predict at best a very slow reduction of unemployment (like 1 % per year). Under theses circumstances, every policy susceptible of contributing to a speedier reduction of European unemployment is worth considering* ». Au Québec comme au Canada, à cette même époque, le débat est aussi présent. Même si son intensité et sa diffusion ont beaucoup moins d'ampleur qu'en Europe, on y fait le même diagnostic et certains économistes proposent le recours au partage de l'emploi (Poulin-Simon et Tremblay 1984).

La longue période d'expansion des années 80 a graduellement remis en veilleuse la question du partage de l'emploi. Le débat sur cette question n'a vraiment repris qu'il y a quelques années en

---

5. Pour une étude plus ancienne sur le sujet, voir Gordon (1982).

Europe. Et on comprend pourquoi à la lecture du diagnostic que pose la Commission européenne dans ses éléments économiques du « Livre blanc » sur l'emploi publié en novembre 1993 : « *La Communauté européenne connaît un chômage massif. L'actuelle récession a considérablement aggravé le problème. Au cours des trois dernières années, le chômage a beaucoup augmenté dans la communauté et il touche maintenant 17 millions de personnes, soit environ 11 % de la population active. En 1990, même après cinq années de croissance régulière, alors que le chômage atteignait son niveau le plus bas de la décennie, la communauté comptait encore 12 millions de chômeurs, 8 % de la population active »*. Donc, un chômage non seulement élevé mais aussi persistant, avec peu d'espoir de réajustement à moyen terme. Face à cette situation, la Commission propose l'examen d'un ensemble de mesures dont le partage du travail. Par ailleurs, dans les deux plus grands pays de la Communauté économique européenne, l'Allemagne et la France, la discussion publique sur le sujet est quotidienne et les ententes de partage de l'emploi se multiplient au sein des entreprises. L'entente signée chez Volkswagen le 25 novembre 1993, et que nous examinerons en détail au chapitre 3, a grandement stimulé le débat et accéléré la signature d'autres ententes similaires.

Au Canada comme au Québec, toujours avec moins d'intensité qu'en Europe, la discussion sur le partage de l'emploi a repris depuis quelques années et s'est particulièrement animée à la suite de déclarations de M. Lloyd Axworthy, alors ministre des Ressources humaines, disant que des programmes de partage de l'emploi devaient faire partie des instruments majeurs utilisés pour réduire le chômage. Il faut souligner que depuis la fin des années 80, les taux de chômage les plus bas ont été de 7,5 % au Canada et de 9,3 % au Québec en 1989 et ont atteint des sommets de 11,3 % au Canada en 1992 et de 13,2 % au Québec en 1993. On s'aperçoit donc que l'on trouve les deux conditions qui semblent favoriser la réouverture de la question du partage de l'emploi, à savoir un chômage élevé et persistant avec très peu d'espoir de modification de la situation à moyen terme. Au Québec, le mouvement syndical, autrefois réfractaire au partage de l'emploi, semble s'ouvrir de plus en plus à cette possibilité comme le montre les résultats d'un sondage récent fait par la Fédération des travailleurs du Québec (FTQ) auprès de ses membres et les prises de position publiques des principaux dirigeants syndicaux.

Des négociations intensives sont actuellement en cours en France et en Allemagne entre le patronat, les syndicats et les gouvernements pour trouver un début de solution au problème de l'emploi. Une utilisation plus intensive et plus exhaustive du partage de l'emploi est un des remèdes proposés dans les deux pays. Cependant, des ententes sont loin d'être conclues si l'on se fit aux échos qui nous parviennent de ces deux pays. Au Québec, lors du sommet économique du printemps 1996, l'aménagement du temps de travail a été mis de l'avant comme une solution possible au chômage. Un comité examine actuellement la question et fera rapport au sommet économique de l'automne 1996.

Conclusion

Le survol historique que nous avons fait dans ce chapitre nous amène à tirer quelques conclusions. D'abord, le partage de l'emploi n'est pas une modalité récente d'atténuation de la variation de l'emploi. Très tôt dans l'industrialisation des pays d'Europe, on se servit de cette modalité pour s'assurer la stabilité des liens d'emploi de travailleurs dans lesquels l'entreprise investissait de plus en plus. Ensuite, il faut retenir que l'Amérique du Nord a suivi un cheminement tout à fait différent quant aux liens d'emploi et aux modalités d'ajustement de la production pour répondre aux variations de la demande. De nos jours, les pays industrialisés d'Europe et le Canada se heurtent à un problème persistant de chômage. Les premiers pays se demandent s'ils ne pourraient pas intensifier et étendre l'utilisation qu'ils ont toujours faite du partage de l'emploi pour atténuer le chômage actuel alors que le Canada et le Québec en particulier s'interrogent sur l'implantation de tels programmes pour les mêmes raisons. Aux États-Unis, le chômage étant à son plus bas, le partage de l'emploi ne fait aucunement partie des réflexions des économistes et du débat politique.

CHAPITRE 2

La semaine réduite de travail :
le cas de Bell Québec

Le 12 novembre 1993, Robert Kearney, alors président et chef de la direction de Bell Canada, faisait parvenir une lettre à chacun des employés de la compagnie dans laquelle il s'exprimait ainsi : *« Depuis l'annonce que j'ai faite le 28 septembre concernant notre programme de restrictions, un travail considérable a été effectué pour définir les mesures que nous prendrons afin de retrancher l'équivalent de 5 000 employés de notre effectif en 1994. Nous espérons que ces mesures permettront d'éviter le recours à des mises à pied [...]. Pour que les nouvelles mesures [volontaires] s'avèrent fructueuses, il faut que les employés y participent en grand nombre. Rappelez-vous toutefois que tout le monde n'y sera pas admissible. »*

Ce train de mesures était l'amorce d'une rupture profonde par rapport au comportement passé de Bell Canada comme employeur. Cette compagnie, qui avait jusqu'alors bénéficié d'une situation de monopole réglementé sur les télécommunications locales et interurbaines et d'une croissance régulière et importante de ses activités, avait toujours su garantir à ses employés la sécurité d'emploi, une dynamique de promotion interne intéressante et des salaires élevés par rapport à l'ensemble du marché du travail. Dans l'opinion publique et sûrement chez les employés de Bell eux-mêmes, Bell offrait des emplois à vie comme les gouvernements et, comme eux, était là pour demeurer parce qu'elle était seule à offrir un service devenu, avec le temps, essentiel. On ne doit donc pas s'étonner de trouver qu'avant la mise en place des mesures de réduction de la main-d'œuvre, l'ancienneté moyenne des cadres de Bell Québec était de 19 ans, celle des techniciens, de 18 ans et celle des employés de bureau, de 15 ans.

Qu'est-ce qui a amené la haute direction de Bell à prendre de telles mesures ? Une décision du C.R.T.C. qui ouvrait les télé-communications interurbaines à la concurrence tout en conservant à Bell Canada le monopole sur les communications locales. Toute-fois, la compagnie ne pouvait se servir de cette situation mono-polistique pour accroître les tarifs locaux et compenser les pertes que la venue de concurrents sur le marché de l'interurbain lui occa-sionnerait. Comme les tarifs locaux bénéficiaient d'un inter-financement considérable en provenance du secteur interurbain, la décision du C.R.T.C. posait un sérieux problème de rentabilité à Bell Canada. En effet, la concurrence sur l'interurbain, qui forçait Bell à réduire ses tarifs dans ce secteur, se conjuguant avec l'impossibilité d'ajuster les tarifs locaux pour davantage refléter les coûts de ce service, ne laissait qu'une avenue de solution au problème de ren-tabilité, la réduction des coûts. C'est dans ce contexte que la déci-sion de retrancher l'équivalent de 5 000 employés de l'effectif de la compagnie fut prise par la haute direction de Bell.

Ce sont les modalités d'application de cette décision et ses conséquences que nous présentons dans ce qui suit.

Le contexte institutionnel et légal

Pour comprendre la situation dans laquelle la compagnie Bell Canada s'est retrouvée, il faut revenir sur ce que nous avons vu au chapitre précédent.

Le mode d'ajustement de la main-d'œuvre qui fut traditionnellement privilégié au Canada par les entreprises et les travailleurs ou les syndicats est celui des mises à pied. Si l'ajustement est temporaire et de courte durée, les mises à pied s'accompagnent d'une probabilité plus ou moins élevée de rappel alors que dans le cas de réduction définitive cette probabilité de rappel devient nulle. Les modalités de mises à pied temporaire, de longue durée ou permanente sont généralement clairement définies dans le contrat de travail ou la convention collective. Elles portent sur les privilèges donnés par l'ancienneté et le statut de permanence, l'ordre des rappels s'il y a lieu, le quantum et la durée des indemnités de départ, etc.

Dans ce type de contrats à l'américaine, l'ancienneté donne d'abord la permanence d'emploi et accroît ensuite graduellement la sécurité d'emploi. Si bien que le travailleur devient de plus en plus à l'abri des mises à pied. Et dans ce contexte, non seulement il a avec le temps une sécurité d'emploi, mais la convention collective lui garantit aussi la durée de sa semaine de travail et le revenu qui en découle. Ce fait est important puisqu'il signifie que le travailleur individuel s'approprie la durée du temps de travail stipulée au contrat de travail. On verra au chapitre suivant, portant sur le cas Volskwagen, que la situation est fort différente en Allemagne.

On comprendra aussi que ce type de contrats de travail se prête fort mal à un réaménagement du temps de travail impliquant la réduction de ce dernier pour stabiliser des emplois. Ils n'ont pas été conçus pour cela et le « partage du travail », comme modalité de « lissage » de l'emploi, fait peu ou ne fait pas partie de la culture d'entreprise et, jusqu'à tout récemment, de la culture syndicale.

De par son histoire particulière de très grande stabilité dans l'emploi, les employés et la direction de Bell n'avaient vécu que les aspects positifs du contrat à l'américaine en ce sens que la permanence d'emploi, obtenue assez rapidement, était automatiquement synonyme de sécurité d'emploi. Les mises à pied massives ou la réduction du temps de travail n'ont jamais fait, à toutes fins utiles, partie du paysage des relations du travail dans cette compagnie[1].

Bell pouvait faire des mises à pied massives qui auraient respecté les clauses pertinentes de ces différentes conventions collectives. Même si cette compagnie n'avait pas vécu dans le passé des mises à pied massives, le processus était contractuellement défini et les expériences d'innombrables autres entreprises ayant depuis toujours eu recours à ce processus, dans le contexte nord-américain, étaient riches d'informations. Si pénible est-il, ce cheminement aurait été conforme à la tradition nord-américaine.

Cette approche traditionnelle n'était cependant pas sans coût. Le premier, sûrement le moins tangible, mais qui pesa lourdement dans la balance, était cette rupture brutale avec le passé en matière de liens d'emploi. Ce serait la première mise à pied massive chez Bell Canada. Comment les employés réagiraient-ils à ce choc ? Y aurait-il des conséquences négatives sur l'image très positive de Bell Canada comme citoyen corporatif ? Un deuxième coût, non négligeable à moyen terme, était la perte d'un nombre important d'employés parmi les plus jeunes dans quelques catégories occupationnelles. Dans certains cas, tout employé ayant moins de treize années d'expérience aurait été mis à pied. On imagine facilement l'effet que cette façon de procéder aurait eu sur la structure d'âge des employés de Bell. Dans des secteurs d'activité, la compagnie se serait départie de toute sa relève. De plus, le jeu de la nouvelle structure d'ancienneté parmi les employés restants aurait sûrement occasionné de nombreuses demandes de mutations permises par les conventions collectives. Ces chambardements majeurs ne sont généralement pas sans incidence sur l'efficacité des équipes de travail. À ces coûts implicites s'ajoutaient ceux des primes de séparation.

Après des discussions intenses avec les divers syndicats représentant les employés de Bell, on opta pour une solution de

---

1. On trouvera une excellente présentation de l'histoire des relations de travail dans l'industrie canadienne du téléphone dans Verma et Weiler (1992).

partage de l'emploi qui, si tout allait bien, éviterait les mises à pied. Il faut bien comprendre que cette solution était non seulement une première pour Bell Canada, mais qu'elle était aussi très peu ou pas utilisée par les grandes entreprises syndiquées au Canada. La direction de cette compagnie ainsi que ses employés s'aventuraient dans un territoire complètement nouveau en ce qui les concernait et peu fréquenté en Amérique du Nord. Ce sont les principaux résultats de l'étude de cette expérience que nous allons rapporter dans le présent chapitre. Ces résultats sont uniques parce que nous avons eu accès à l'ensemble des données portant sur les quelque 18 500 employés de Bell Québec de même qu'à des données de productivité inédites. Évidemment, les données portant sur le personnel nous ont été fournies sur une base strictement anonyme et confidentielle. Le but de notre étude était double : d'abord mieux comprendre les préférences des individus pour le temps de travail. Comme, dans un premier temps, les employés de Bell pouvaient effectuer un choix volontaire de réduction du temps de travail et que le nombre et la diversité des situations des employés en cause étaient considérables, nous pouvions jeter un peu de lumière sur cette question des préférences pour le temps de travail. Ensuite, nous voulions mesurer, de la façon la plus rigoureuse possible, l'impact du programme de partage de l'emploi sur la productivité.

Le programme de réduction du temps de travail

À la lettre du 12 novembre 1993 du président Robert Kearney était joint un document de vingt-six pages présentant de façon détaillée et claire le « PROGRAMME DE RAJUSTEMENT DE L'EFFECTIF 1994 ». On y présentait les quatre composantes de ce programme, à savoir : 1. la semaine de travail réduite ; 2. le programme de congés spéciaux au nombre de cinq allant du congé saisonnier avec salaire étalé au congé spécial pour raisons personnelles ; 3. le programme d'incitation à la cessation d'emploi ; et enfin 4. le travail à temps partiel avant la retraite. Pour chacune de ces composantes des informations complètes sont fournies aux employés autant sur les

TABLEAU 2.1

LES CONDITIONS DE LA SEMAINE RÉDUITE POUR
LES TECHNICIENS ET EMPLOYÉS AUXILIAIRES DE BELL

Pour les 38 premières semaines de 1994	• Vous travaillez quatre jours par semaine et huit heures par jour. • Vous conservez tous vos jours de congé compensatoires. • Votre jour de congé en vertu de la semaine de travail réduite suivra un de vos jours de congé ordinaires. • Les prestations AC sont basées sur votre salaire hebdomadaire normal (avant le début de la semaine de travail réduite). Par exemple, si vous gagnez actuellement au moins 745 $ par semaine, vous recevriez la prestation AC maximum disponible en vertu de ce programme, soit 85 $ par semaine (selon les taux de 1993).
Pour les 14 dernières semaines de 1994	• Vous travaillez quatre jours par semaine et neuf heures par jour. • Pas de jours de congé compensatoires. • Votre jour de congé continue de tomber à la suite de vos jours de congé ordinaires. • Vous ne recevez plus de prestations AC.
Admissibilité	• Tous les employés permanents à plein temps du groupe « techniciens et employés auxiliaires » sont admissibles.
Durée	• La participation au programme « semaine de travail réduite » dure toute l'année. Vous commencerez en janvier 1994 et vous reprendrez l'horaire de cinq jours au début de 1995.
Rappels temporaires	• Si des employés doivent être rappelés temporairement pour une semaine de cinq jours en 1994 (p. ex., pour faire face à un accroissement de la demande au cours d'une période chargée), on fera d'abord appel aux volontaires. Si personne ne se porte volontaire, la compagnie établira des horaires de travail de cinq jours selon les besoins. En pareil cas, la compagnie donnera un avis de deux semaines.
Date limite de la demande	• Toutes les demandes doivent être reçues au plus tard le lundi 6 décembre 1993.

TABLEAU 2.2

BAISSE DE SALAIRE DÉCOULANT DE LA SEMAINE RÉDUITE [BELL QUÉBEC]

Occupation	Baisse annuelle du salaire net 1994 (arrondie à la tranche de 100 $ la plus proche)	
	Québec	Ontario
Technicien I	2 600 $	2 800 $
Technicien II	2 400 $	2 600 $
Préposé au matériel II	1 600 $	1 800 $
Préposé aux bâtiments	1 200 $	1 300 $
Technicien à l'équipement des bâtiments	2 400 $	2 600 $

modalités particulières du programme que sur l'incidence que l'adhésion au programme aura sur le revenu net de l'employé et son régime d'avantages sociaux.

Sans entrer dans le détail de chacun des programmes, mais pour illustrer la qualité et la précision des informations données aux employés, nous présentons au tableau 2.1 les informations qui étaient fournies aux techniciens et employés auxiliaires pour le programme de semaine réduite.

Le tableau 2.2 donne une idée générale de la baisse du salaire net entraînée par la participation au programme « semaine de travail réduite ».

Le même type d'informations fut présenté au personnel de bureau et groupe connexe de même qu'aux cadres admissibles au programme de semaine réduite. Pour chacun des trois autres programmes, des informations aussi précises furent fournies à chacune des catégories d'employés.

Les objectifs du programme et les attentes des dirigeants

Pour Bell Québec, sur laquelle a porté l'ensemble de nos études, l'objectif initial du « Programme de rajustement de l'effectif 1994 » était de retrancher l'équivalent de 2 200 postes répartis comme suit : 380 cadres ; 1 370 techniciens et 450 employés de bureau.

Les attentes des dirigeants de la compagnie quant à la participation des employés aux divers programmes proposés étaient très élevées. Elles étaient évidentes dans la lettre du président Robert Kearney qui disait : « *Rappelez-vous toutefois que tout le monde n'y sera pas admissible. L'admissibilité est fonction des besoins de l'entreprise...* ». Pour préciser les anticipations des dirigeants de Bell, nous avons eu plusieurs entrevues avec la personne qui était alors le vice-président aux ressources humaines de Bell Canada. En fait, seulement pour le volet « semaine de travail réduite », on prévoyait une participation volontaire des employés de l'ordre de 40 % à 50 % pour les cadres, de 65 % pour les techniciens et de 75 % pour les employés de bureau. Si l'on ajoutait à cela une certaine participation aux trois autres composantes du programme (congés, retraites), personne ne doutait de l'atteinte de l'objectif de réduction des effectifs. Même si ces attentes ne reposaient pas sur des données rigoureuses, elles résultaient quand même de nombreuses consultations auprès des dirigeants syndicaux et d'une opinion, encore généralisée, qu'un pourcentage très élevé de travailleurs souhaiteraient diminuer leur temps de travail s'ils le pouvaient même si cela entraînait une baisse de leur revenu. Cette opinion fut d'ailleurs confirmée par un sondage fait en juin 1994 auprès de 804 travailleurs de la F.T.Q. qui ont répondu à la question suivante : « Afin de créer des emplois et même si cela pouvait signifier une baisse de vos revenus, seriez-vous favorables à la réduction du temps de travail ? » En réponse à cette question, 25 % se sont dit **très favorables** et 38 %, **assez favorables** pour un total de 63 % qui **n'étaient pas défavorables** au partage de l'emploi.

Les réponses volontaires des employés de Bell Québec furent très différentes des attentes qu'avait la direction de la compagnie,

TABLEAU 2.3

LES RÉPONSES VOLONTAIRES DES EMPLOYÉS DE BELL [DÉCEMBRE 1993]

	Population visée (14 458)	Employés de bureau (5 868)	Techniciens (4 480)	Cadres (4 110)
Congés	3,0 % (434)	4,1 % (243)	1,6 % (70)	2,9 % (121)
Retraite	6,3 % (918)	4,3 % (255)	4,8 % (217)	10,8 % (446)
Semaine réduite	10,9 % (1 572)	11,1 % (655)	14,5 % (649)	6,5 % (268)
Sans compensation	7,5 % (1 076)	7,3 % (433)	9,3 % (418)	5,5 % (225)
TOTAL	20,2 % (2 924)	19,5 % (1 153)	20,9 % (936)	20,3 % (835)

Source : Banque de données Bell Québec-CIRANO

particulièrement dans le volet « semaine de travail réduite ». Le tableau 2.3[2] nous donne le nombre et le pourcentage des employés ayant signifié leur décision de participer à l'un ou l'autre des volets du programme de réajustement de l'effectif.

On constate d'abord, à la dernière ligne de la première colonne, que 20,2 % seulement de l'ensemble des employés de Bell Québec admissibles aux programmes ont signifié leur décision d'y participer. La surprise majeure est évidemment le très faible taux de participation (10,9 %) au programme de semaine réduite, et cela, sous l'hypothèse que le programme d'assurance-chômage compenserait à près de 40 % la perte de salaire et que les avantages sociaux étaient pleinement maintenus. Remarquons que 7,5 % des employés admissibles se sont dit prêts à participer au volet

---

2. Des données sur l'ensemble de Bell Canada nous ont indiqué que les réponses étaient encore plus éloignées des attentes en Ontario.

TABLEAU 2.4

ATTEINTE DE L'OBJECTIF DE BELL ET CHOIX VOLONTAIRES DES EMPLOYÉS

	Objectif de réduction	Congés retraite en équivalent temps complet	Semaine réduite en équivalent temps complet	Total en équivalent temps complet
Cadres	380	304 (79,9 %)*	33 (8,7 %)	337 (88,6 %)
Techniciens	1 370	148 (10,7 %)	72 (5,3 %)	220 (16 %)
Employés de bureau	450	200 (44,5 %)	70 (15,5 %)	270 (60 %)
Total des travailleurs	2 200	662 (30 %)	175 (8 %)	837 (38 %)

Source : Banque de données Bell Québec-CIRANO
* *On trouve entre parenthèses le pourcentage d'atteinte de l'objectif de réduction de l'effectif.*

« semaine de travail réduite » même sans compensation du programme d'assurance-chômage. Ainsi, malgré le fait que la compensation du programme d'assurance-chômage réduisait considérablement le coût pour les employés de la semaine réduite, peu d'employés supplémentaires se sont dit prêts à participer au programme dans ce contexte. Par ailleurs, tout en étant faible pour chacune des catégories d'emplois, le taux de participation au volet « semaine de travail réduite » l'est encore davantage pour les cadres. La situation est inversée dans le cas du programme de retraite.

On se pose immédiatement la question suivante : était-il possible d'atteindre l'objectif de réduction d'effectif de 2 200 employés à Bell Québec avec de telles participations volontaires aux divers programmes offerts par la compagnie ? Le faible taux de participation volontaire au volet « semaine de travail réduite » pose, *a priori*, un problème majeur. En effet, il fallait neuf participants au programme pour engendrer un poste équivalent à temps complet. Si bien que les 1 572 employés (10,9 % des employés admissibles) qui ont signifié leur désir de participer au volet « semaine de travail réduite » n'engendraient qu'une réduction de 175 postes équivalents à temps complet, soit 8 % de l'objectif de réduction de 2 200 employés. Le tableau 2.4 nous donne le pourcentage d'atteinte de l'objectif de réduction d'effectif si l'on s'en tient aux choix volontaires des employés.

Remarquons qu'avec le taux de participation volontaire aux programmes de congés et de retraite il aurait fallu un taux de participation moyen de 95,8 % au volet « semaine de travail réduite » pour pouvoir atteindre l'objectif de réduction d'effectif de 2 200 employés. Il est donc évident que la participation aux programmes de congés et de retraite ne fut pas, elle non plus, à la hauteur des attentes de la direction de la compagnie. On remarque que la situation est fort différente selon les catégories occupationnelles, mais ces différences relèvent presque essentiellement des niveaux de l'objectif de réduction, très élevé chez les techniciens et beaucoup plus faible chez les cadres et les employés de bureau. En effet, pour ce qui est du taux de participation global à l'ensemble des programmes, il n'y a à peu près pas d'écart (dernière ligne du tableau 2.3) entre les catégories occupationnelles.

Dans ce qui suit, nous allons tenter de comprendre ce taux de participation volontaire de 10,9 % (avec compensation de l'assurance-chômage) ou de 7,5 % (sans compensation de l'assurance-chômage) au volet « semaine de travail réduite » du programme de réduction d'effectif. Ce taux, six fois inférieur aux attentes de la direction de la compagnie, est-il vraiment anormalement faible ou, au contraire, sont-ce les attentes de la compagnie qui étaient anormalement élevées ?

Les préférences des travailleurs pour le temps de travail et le partage de l'emploi

On affirme régulièrement que le partage de l'emploi utilisé pour atténuer les mises à pied ou pour accroître le nombre de travailleurs en emploi peut facilement résulter d'ententes volontaires puisqu'une proportion importante de travailleurs voudraient travailler moins même si cette réduction d'heures entraîne une baisse de rémunération. Cette affirmation pose tout le problème du choix par les individus du temps travaillé et des contraintes économiques et institutionnelles qui affectent ce choix.

On sait à quel point la semaine de travail normale a diminué au cours des temps passant, par exemple, au Canada, de près de 60 heures au début du siècle à moins de 40 heures de nos jours. On sait aussi qu'au cours de la même période la richesse et le revenu des travailleurs se sont considérablement accrus. Ce qui implique que la productivité du travail a fortement augmenté. On peut alors penser que si le nombre d'heures travaillées avait été maintenu, la richesse et le revenu des travailleurs auraient pu s'accroître davantage. Comment alors expliquer le choix qui a été fait individuellement ou collectivement par les travailleurs de réduire leur semaine de travail ?

La durée de la semaine de travail : le choix des travailleurs

Les économistes soutiennent que les individus travaillent, donc sacrifient du temps qu'ils pourraient consacrer aux loisirs ou au travail domestique, pour obtenir un revenu qui leur permettra d'acquérir une gamme de biens et de services essentiels à leur survie et augmentant leur bien-être. Chaque individu devra donc faire un arbitrage entre temps libre et revenu de travail. Et cet arbitrage lui sera particulier parce que ses préférences sont particulières. Cela dit, de façon générale, l'individu sera prêt à sacrifier davantage de temps libre pour le travail si le revenu qu'il en retire est plus élevé et moins, si la contrepartie en revenu est moins considérable. Ainsi, à un taux de salaire donné, en fonction de ses préférences, un individu sera prêt à sacrifier un nombre déterminé d'heures de temps libre pour travailler.

Qu'arrive-t-il lorsque pour un travail donné la rémunération horaire augmente ? Deux effets, jouant en sens opposé, ont une incidence sur le choix de l'individu quant aux heures de travail. D'abord, du fait de l'augmentation de son revenu, l'individu voudra augmenter sa consommation de biens et de services dont font partie les loisirs. C'est ce que les économistes appellent l'effet revenu qui, dans ce cas, affecte positivement le temps consacré aux loisirs et donc négativement celui consacré au travail. Mais l'augmentation de la rémunération horaire accroît le prix du temps libre en ce sens qu'une heure de temps libre de plus entraîne un sacrifice plus grand de revenu dû à la réduction du temps de travail d'une heure mieux rémunérée. Le prix du loisir plus élevé poussera les individus à en réduire la consommation donc à augmenter les heures travaillées. C'est ce que les économistes appellent l'effet de substitution.

On s'aperçoit que, pour qu'il y ait une réduction des heures travaillées lorsque la rémunération augmente, il faut que le premier effet, l'effet de revenu, jouant négativement sur les heures travaillées, soit plus important que le deuxième effet, l'effet de substitution, affectant positivement les heures travaillées. C'est précisément ce qui s'est passé historiquement. Au fur et à mesure que la rémunération du travail s'est accrue à la suite des augmentations de productivité, les travailleurs ont décidé d'utiliser une partie de ce revenu supplémentaire pour consommer davantage d'heures de loisir même si le prix de ces heures s'était accru. **L'effet de revenu** a donc été systématiquement plus fort que **l'effet de substitution** et la semaine normale de travail a connu une réduction de près de 35 % depuis le début du présent siècle.

La durée de la semaine de travail :
les normes institutionnelles

Chaque individu a des goûts particuliers autant pour la quantité et la diversité des biens et services qu'il désire consommer que pour le temps libre qu'il veut se réserver. On devrait donc avoir une importante disparité interindividuelle d'heures travaillées si ces dernières ne dépendaient que du choix de chaque individu. Or, la réalité nous montre que les différences interindividuelles dans les heures travaillées sont fortement reliées aux secteurs industriels, à l'occupation et au statut d'emploi [c.-à-d. temps partiel ou plein temps]. Au sein des secteurs industriels et des occupations, toutefois, on trouve généralement des normes relativement rigides quant à la durée de la semaine de travail. Par ailleurs, beaucoup de fonctions ne peuvent être occupées qu'à plein temps et d'autres qu'à temps partiel. Ces normes sont le résultat de compromis entre les préférences des travailleurs et les contraintes d'une production efficace et d'une rentabilisation autant des investissements en capital physique que de ceux en capital humain. Évidemment, sur un marché relativement concurrentiel, les individus peuvent toujours changer d'emplois pour trouver la combinaison qui correspond le mieux à leurs préférences, et les employeurs seront amenés à s'ajuster pour attirer de bons travailleurs. Cela dit, il demeure que l'ajustement ne sera jamais parfait pour tous et chacun des travailleurs. Certains préféreraient travailler moins au taux de salaire qu'ils ont et d'autres aimeraient travailler davantage.

À ces normes, résultant en quelque sorte de compromis entre les choix des travailleurs et ceux des employeurs, s'ajoutent les lois et règlements régissant la durée de la semaine normale de travail, la prime horaire pour le temps travaillé excédant cette semaine normale de travail, les congés et les vacances dont les travailleurs doivent minimalement bénéficier, etc. Ces lois et règlements, établis par l'État et auxquels travailleurs et employeurs doivent se soumettre, contraignent évidemment les choix individuels. Leur impact réel est un sujet important d'étude puisqu'on pense de plus en plus qu'ils suivent les pratiques usuelles du milieu plutôt qu'ils ne les précèdent.

Le temps de travail : l'expression des préférences des travailleurs

Nous avons vu dans ce qui précède que les normes, lois et règlements, qui se sont établies quant à la journée et la semaine de travail font que des individus voudraient travailler moins et d'autres plus compte tenu des conditions de travail qui leur sont faites. Cette prédiction se vérifie régulièrement dans des sondages ou des enquêtes faites auprès de la population ou auprès de sous-groupes de travailleurs. Évidemment, les données qui sortent de ces sondages doivent être interprétées avec nuances parce qu'elles dépendent beaucoup de la formulation des questions posées et du contexte dans lequel les réponses ont été données.

Examinons d'abord la formulation de la question. Si, par exemple, on pose aux individus la question suivante : « Voudriez-vous travailler plus, moins ou le même nombre d'heures par semaine que celui habituellement travaillé ? » Certains individus supposeront que les changements dans les heures se feront sans changement de rémunération et ils seront alors davantage portés à répondre « moins ». D'autres penseront que la rémunération s'ajustera proportionnellement aux heures travaillées et exprimeront leurs choix en fonction de leurs préférences, mais aussi des coûts et des avantages d'une modification de leur horaire de travail. Un troisième groupe de travailleurs pourra croire que la rémunération d'un plus grand nombre d'heures sera faite avec une prime des heures supplémentaires, ce qui incitera une certaine proportion d'entre eux à répondre qu'ils voudraient travailler plus d'heures. On le constate, l'interprétation des résultats d'enquêtes ou de sondages qui utiliseraient ce genre de questions est presque impossible.

L'autre facteur susceptible d'affecter le contenu des réponses à de telles enquêtes est le contexte dans lequel l'enquête est menée. Il y a une différence dans la qualité de l'évaluation qu'un individu fera des enjeux selon qu'une enquête cherche uniquement à connaître les désirs des travailleurs, sans que l'expression de ceux-ci n'intervienne dans quelques décisions de la part des employeurs, ou qu'une enquête est faite par un employeur dans le but de reconnaître les candidats qui accepteront une modification des horaires de travail, qui doit être implantée à court terme. Dans ce deuxième contexte, les travailleurs exigeront des informations complètes et précises sur les diverses situations qui découleraient des différentes décisions qu'ils pourraient prendre quant à leur horaire de travail et ils énonceront leurs préférences en sachant bien qu'on pourrait les prendre au mot. C'est précisément le contexte dans lequel les employés de Bell Québec ont été placés.

Un troisième facteur qui affectera les réponses données est le fait d'avoir vécu antérieurement une ou des expériences de temps de travail réduit. En effet, une telle expérience permet aux employés d'évaluer plus correctement non seulement les coûts d'une baisse de revenu, mais aussi les avantages retirés du temps libre supplémentaire. Nous reviendrons sur la question d'expérience acquise au chapitre 5.

Un dernier facteur qui influencera les réponses données porte sur l'arbitrage que certains travailleurs doivent faire entre réduction du temps de travail et conservation des emplois. On comprendra dès lors que, pour certains travailleurs, il ne s'agit plus uniquement de faire un choix entre le travail et le temps libre, mais aussi et peut-être surtout entre un temps de travail et une probabilité plus ou moins forte de conserver son emploi. Le contexte de la décision est alors complètement différent. C'est précisément dans ce contexte que plusieurs jeunes employés de Bell devaient prendre une décision quant à leur adhésion au volet « semaine réduite » du programme de réduction des effectifs.

Nous allons maintenant examiner sommairement les principaux résultats de deux grandes enquêtes sur les préférences des gens quant aux heures de travail, réalisées aux États-Unis et au Canada, en 1985. Ce sont les deux enquêtes les plus fiables et les plus exhaustives qui ont été faites à ce jour, en Amérique du Nord, sur le sujet.

L'enquête faite aux États-Unis

Cette enquête a été réalisée sur l'ensemble du territoire américain dans le cadre du *Current Population Survey* de mai 1985. Plus de 100 000 individus ont été questionnés sur leurs préférences quant aux heures de travail. La question précise posée à ces individus fut la suivante :

Si vous aviez le choix, préféreriez-vous travailler :

- le même nombre d'heures et gagner le même argent ?

- moins d'heures au même taux de salaire et gagner moins d'argent ?

- plus d'heures au même taux de salaire et gagner plus d'argent ?

Au tableau 2.5, nous pouvons constater que près de 65 % des travailleurs en emploi se disent satisfaits des heures qu'ils travaillent compte tenu du salaire qu'ils en retirent. Par ailleurs, 7,6 % des travailleurs préféreraient travailler moins d'heures même si cela implique une réduction correspondante de leur salaire alors que 27,5 % des travailleurs préféreraient travailler davantage pour gagner plus.

En somme, la grande majorité des travailleurs sont satisfaits de leur sort, peu nombreux sont ceux qui veulent réduire leur nombre d'heures de travail, mais une proportion importante d'entre eux voudraient l'augmenter.

La conclusion qui précède s'applique autant aux femmes qu'aux hommes. Les grandes différences apparaissent surtout lorsqu'on considère l'âge, et cela, autant chez les hommes que chez les

TABLEAU 2.5

PRÉFÉRENCES DES TRAVAILLEURS EN EMPLOI :
HEURES DE TRAVAIL ET SALAIRE [SELON L'ÂGE]
ÉTATS-UNIS, MAI 1985

	Mêmes heures Même salaire %	Moins d'heures Salaire moindre %	Plus d'heures Salaire plus élevé %
TOTAL DES TRAVAILLEURS (16 ans +)	64,9	7,6	27,5
HOMMES (16 ans +)	63,5	5,9	30,6
16 - 19 ans	39,7	2,6	57,8
55 - 64 ans	79,5	6,8	13,7
FEMMES (16 ans +)	65,7	8,8	25,5
16 - 19 ans	42,8	3,4	53,8
55-64 ans	77,3	7,5	15,2

Source : Shank (1986)

femmes. En effet, on trouve que les jeunes veulent, en proportion importante, travailler plus d'heures pour accroître leur revenu alors que les travailleurs dans la dernière décennie de leur carrière sont très majoritairement satisfaits des heures qu'ils travaillent compte tenu du revenu qu'ils en retirent.

L'enquête faite au Canada

L'enquête canadienne sur la réduction du temps de travail a été menée par Statistique Canada lors de son enquête de juin 1985 sur la main-d'œuvre. Cette enquête postale s'adressait à des individus de 18 ans et plus ayant un travail rémunéré en juin 1985. L'échantillon compte 15 830 individus ayant rempli le questionnaire. Les questions posées sont différentes de celles posées dans l'enquête américaine. Deux questions portaient sur les préférences pour le temps réduit avec des modalités différentes de réductions salariales.

Les deux questions sont les suivantes : 1. Dans les deux prochaines années, accepteriez-vous une réduction de salaire si l'on vous accordait davantage de temps libre ? 2. Au cours des deux prochaines années, échangeriez-vous la totalité ou une partie de votre augmentation de salaire pour obtenir davantage de temps libre ? En réponse à la première question, 17,3 % des travailleurs ont répondu — oui — alors que 26,7 % ont répondu — oui — à la deuxième question. On constate donc que davantage de travailleurs sont prêts à sacrifier des augmentations salariales pour acheter du temps libre. Toutefois, si l'on regroupe tous les travailleurs qui ont exprimé un intérêt pour le temps réduit en répondant — oui — à la question 1, à la question 2 et aux questions 1 et 2, on trouve que 30,7 % des travailleurs ont exprimé un intérêt pour la réduction de leur temps de travail.

Dans l'ensemble, les données tirées de cette enquête confirment les grandes tendances que nous avions vues dans les résultats de l'enquête américaine.

En effet, en général, il n'y a pas de différences très marquées entre les préférences des hommes et des femmes quant au temps travaillé et une proportion importante des uns et des autres voudraient travailler davantage pour accroître leur revenu. Comme dans l'enquête américaine, on trouve que la proportion des travailleurs voulant travailler plus d'heures diminue de façon importante avec le nombre d'heures déjà travaillées et le niveau de revenu gagné.

Le pourcentage de travailleurs figurant aux catégories « mêmes heures » et « moins d'heures » est bien différent au Canada et aux États-Unis. C'est ainsi que dans l'enquête américaine près de 65 % des travailleurs se retrouvaient dans la catégorie « mêmes heures » alors qu'au Canada ce pourcentage n'est que de 37,2 %. Écart aussi considérable pour la catégorie « moins d'heures » qui regroupe 7,6 % des travailleurs dans l'enquête américaine et 30,7 % dans l'enquête canadienne.

On peut penser qu'une part importante de ces disparités s'explique par le contenu même des questions et la précision de l'information fournie quant aux variations du revenu. Dans l'enquête américaine, la diminution des heures implique une baisse de salaire et la question est formulée de telle façon que celle-ci semble permanente. Dans l'enquête canadienne, d'une part, le financement de temps libre supplémentaire peut se faire ou bien par une diminution de salaire ou bien par l'utilisation d'augmentations salariales futures hypothétiques et, d'autre part, la période d'application n'est que de deux ans laissant entendre que par la suite on pourrait revenir à la situation antérieure. L'imprécision des questions, le financement par les augmentations salariales et la période limitée d'application influencent considérablement les décisions. Nous l'avons vu pour le mode de financement où un écart de 10 points séparait le pourcentage de travailleurs préférant moins d'heures de travail selon que la contrepartie était une baisse de salaire (17,3 %) ou une réduction des augmentations salariales (27,6 %). Il suffirait que la limitation sur deux ans ait le même effet pour que l'on trouve les résultats de l'enquête américaine.

On constate donc à quel point le contenu des questions est important dans l'interprétation des résultats d'enquête. On l'oublie trop souvent.

Les préférences des employés de Bell Québec

Ce qui précède va nous permettre de mieux interpréter les données que nous avons sur le cas de Bell Québec. Bien sûr les données d'enquête que nous avons présentées datent de 1985 et on pourrait penser que la situation a changé en l'espace de huit ans. Peut-être, mais pas au point d'en arriver à ce que plus de 60 % des employés préfèrent une réduction de leur temps de travail même si cela entraîne une baisse de revenu.

Sans pouvoir prétendre que les réponses volontaires des employés de Bell Québec soient pleinement représentatives de l'ensemble des travailleurs, il est pour le moins étonnant de trouver que, dans une situation semblable à celle que présentait l'enquête américaine de 1985, nous trouvions que 7,5 % des employés de Bell Québec se disaient prêts à participer à un programme de « semaine réduite ». Il faut aussi souligner que près de 15 000 employés de Bell Québec étaient, en principe, admissibles au programme de « semaine réduite », que ces derniers avaient divers types de qualifications, différents niveaux de salaires et étaient d'âges variés. On ne peut donc pas parler d'un cas anecdotique n'ayant aucun caractère de représentativité. En ce qui nous concerne, nous pensons pouvoir inférer des données de Bell Québec que, de façon générale, les résultats des enquêtes exhaustives de 1985 sur les préférences des travailleurs pour le temps de travail tiennent toujours. Face aux choix entre une réduction du temps de travail impliquant une diminution de revenu et le maintien de leur situation présente, un très faible pourcentage d'employés optent pour la réduction du temps de travail.

Lorsque l'on examine plus en détail les données, cette conclusion se confirme. D'abord, il faut souligner que le programme de réduction du temps de travail chez Bell n'avait qu'une durée d'une année. On aurait donc pu s'attendre, selon les données d'enquêtes antérieures, à une participation plus forte, ce qui, de toute évidence, ne s'est pas produit. En second lieu, des emplois étaient en cause si les programmes proposés ne fonctionnaient pas. L'importance de cette menace variait évidemment selon la catégorie occupationnelle. En effet, la réduction de 380 cadres représentait 9,2 % de l'effectif des cadres et celle de 450 employés de bureau, 8,2 % de l'effectif, mais la diminution de 1 370 techniciens constituait 30,6 % de l'effectif de ces derniers. Les exigences de participation pour satisfaire les objectifs de réduction d'effectif étant relativement faibles dans les deux premiers cas, on pouvait s'attendre à ce que la menace de mises à pied en cas d'échecs des programmes affecte peu ou n'affecte pas les décisions de ces employés d'y participer. Cette hypothèse est tout à fait soutenue par les données. Dans le cas des techniciens, la situation était bien différente. En effet, pour eux, si l'on procédait par mises à pied, cela impliquait que tout technicien ayant moins de 15 années d'expérience chez Bell Québec se voyait remercié de ses services. Or, nos résultats nous indiquent que le taux de participation volontaire au volet « semaine réduite » s'éleva à 34 % [avec compensation de l'assurance-chômage] pour les techniciens ayant moins de 10 ans d'expérience et à 41 % pour ceux ayant moins de 5 ans d'expérience chez Bell alors que le chiffre correspondant pour ceux qui avaient plus de 15 années d'expérience fut de 10 %. Ces résultats montrent bien un effet de la menace de mises à pied puisque toutes les enquêtes antérieures indiquent que les jeunes travailleurs ne veulent pas réduire leur temps de travail mais bien l'accroître. En somme, la participation volontaire des techniciens au volet « semaine réduite », qui n'était déjà pas très élevée, aurait été encore plus faible si la menace de mises à pied n'avait pas été présente.

Compte tenu de la qualité et de la richesse des données individuelles mises à notre disposition par Bell Québec, nous avons pu vérifier l'incidence qu'avaient des intérêts ou des contraintes particulières à certains employés sur leur taux de participation volontaire à une « semaine réduite » de travail. Par une analyse statistique appropriée, nous avons isolé, entre autres, l'**effet propre** (c.-à-d. toutes autres choses étant égales d'ailleurs) des quatre facteurs suivants : 1. le fait d'être une femme mariée ; 2. le fait d'être un homme marié ; 3. le statut de cadre ; et 4. le niveau de scolarité.

Pour le premier facteur, on s'attend généralement à ce que les femmes mariées, compte tenu de leurs obligations familiales ou du caractère d'appoint de leur revenu, veuillent davantage que les autres employés réduire leur semaine de travail. Si c'est le cas, elles doivent avoir participé davantage, de façon volontaire, au volet « semaine réduite » du programme de Bell. C'est exactement ce que nous trouvons. Pour les hommes mariés, on s'attend à trouver un désir plus grand de maintenir, voire d'augmenter leur semaine de travail à cause d'obligations financières antérieurement contractées, du désir ou de la nécessité d'accroître le niveau de vie de la famille. À partir de notre banque de données Bell Québec-CIRANO, nous avons trouvé que les hommes mariés participaient moins à la « semaine réduite ». Pour les cadres, la « semaine réduite » de travail a, dans un contexte nord-américain, peu d'attrait. D'abord, une proportion importante de ces employés se disent incapables de remplir les obligations de leur tâche dans le cadre d'une semaine normale. Ensuite, la « semaine réduite » de travail d'employés relevant d'eux risque d'accroître leur fardeau administratif. Comment alors penser qu'ils pourront réduire leur temps de travail ? Enfin, pour un cadre, se porter volontaire pour une « semaine réduite » de travail n'est-ce pas indiquer aux supérieurs que sa fonction n'est pas aussi exigente qu'ils l'avaient pensé ou encore n'est-ce pas projeter l'image du cadre qui manque du dynamisme nécessaire pour occuper des fonctions encore plus élevées dans la hiérarchie ? Tous ces facteurs ont dû jouer puisque nous avons trouvé que le fait d'être cadre réduisait la probabilité de participer à la « semaine réduite ». Reste le niveau de scolarité qui a généralement un effet positif sur l'ampleur du temps de travail désiré. La raison est la volonté de l'employé de rentabiliser l'investissement important qu'il a fait pour acquérir un niveau d'éducation supérieur. Une scolarité plus élevée (diplôme universitaire) réduit la probabilité de l'employé de participer à la « semaine réduite ».

Éviter les mises à pied par la réduction du temps de travail ?

Plaçons-nous dans la situation d'un dirigeant d'entreprise comptant 1 000 employés qui, pour des raisons incontournables, doit réduire de 10 % le personnel qu'il utilise, ce qui pourrait équivaloir à la mise à pied de 100 travailleurs. Plutôt que de mettre 100 travailleurs à pied, pour les diverses raisons que nous avons données antérieurement, le dirigeant en question pourrait préférer s'entendre avec ses employés sur une réduction de 10 % du temps de travail de chacun avec une réduction proportionnelle de la rémunération. Il se posera d'abord la question suivante : est-ce possible d'arriver à une telle entente sur une base individuelle et strictement volontaire ?

Si l'on suppose que la semaine de travail dans cette entreprise est de 40 heures, le tableau 2.6 nous donne la réduction des heures requises des travailleurs qui participent en fonction du nombre de travailleurs ayant accepté de participer au programme.

TABLEAU 2.6

RÉDUCTION DES HEURES EN FONCTION
DU NOMBRE DE TRAVAILLEURS PARTICIPANT À UN PROGRAMME*

Employés participants	Réduction des heures	Réduction des heures en %
1 000	4	10 %
800	5	12,5 %
500	8	20 %
250	12	30 %

* Un programme de réduction de 10 % du temps travaillé dans une entreprise de 1 000 employés travaillant 40 heures par semaine.

On voit que, si tous les travailleurs participent, la réduction d'heures requise de chacun ne sera que de 4 heures. Toutefois, si seulement 250 travailleurs (25 %) acceptent, sur une base volontaire, de participer au programme de partage de l'emploi, il faudrait leur imposer une réduction de 12 heures par semaine (30 %) pour arriver à la réduction de 4 000 heures que doit faire l'employeur.

Lorsque l'on confronte ces derniers chiffres avec ceux que nous avons présentés antérieurement, nous pouvons nous interroger sérieusement sur la faisabilité d'ententes individuelles et volontaires sur la réduction du temps de travail. En effet, nous avons vu que les enquêtes les plus exhaustives et les plus rigoureuses nous révèlent qu'entre 8 % et 15 % seulement des travailleurs voudraient réduire leur temps de travail lorsque la diminution s'accompagne d'une réduction proportionnelle de la rémunération, que près de 30 % aimeraient augmenter leur temps de travail et que les autres étaient satisfaits de leur sort. C'est ainsi que si, dans l'exemple de l'entreprise de 1 000 travailleurs que nous avons donné précédemment, on appliquait une participation de 15 % des travailleurs au programme de partage de l'emploi, ces derniers devraient réduire leur temps de travail de 26,6 heures (66,6 %) pour répondre aux objectifs du programme d'une réduction globale de 10 % du temps de travail. Les données de Bell Québec confirment et même renforcent la conclusion que dans un contexte nord-américain on peut difficilement compter sur une participation individuelle et volontaire à une réduction du temps de travail pour éviter des mises à pied même si la réduction de temps requise est faible et si le coût de cette réduction au chapitre de la rémunération est largement compensé. Il faut, en effet, se rappeler que même dans l'hypothèse d'une compensation obtenue par le programme d'assurance-chômage, qui réduisait le coût en rémunération perdue à quelque 8 % du salaire horaire, du maintien de l'ensemble des avantages sociaux et, pour certains, de la menace de perdre leur emploi, seulement 10,9 % des employés admissibles de Bell Québec se sont dit prêts à participer volontairement à la « semaine réduite » de travail d'une durée d'un an.

De l'adhésion volontaire à l'entente négociée

Avant même d'avoir compilé les réponses de ses employés sur leur adhésion volontaire à la « semaine réduite », Bell apprenait que le programme d'assurance-chômage ne compenserait pas le chômage partiel des employés qui opteraient pour la « semaine réduite » de travail. La direction de Bell tira immédiatement la conclusion que, sans cette compensation, le programme « semaine réduite » de travail n'avait aucune chance de succès s'il reposait sur une base individuelle et volontaire. En fait, avant de prendre connaissance des résultats de notre étude, la direction de Bell et probablement l'ensemble des employés étaient convaincus que l'échec du programme « semaine réduite » de travail sur une base individuelle et volontaire était essentiellement imputable au refus du programme d'assurance-chômage de compenser les employés de Bell en chômage partiel. Or, nos résultats montrent que, sous l'hypothèse d'une compensation du programme d'assurance-chômage pour la « semaine réduite » de travail, seulement 10,9 % des employés admissibles de Bell Québec avaient opté pour la « semaine réduite ». Sous l'hypothèse de non-compensation, ce pourcentage s'élevait à 7,5 %. Et nous savons, par ailleurs, qu'avec une participation de 10,9 % des employés au programme « semaine réduite » et compte tenu du taux de participation aux autres programmes, Bell Québec n'atteignait que 38 % de l'objectif de réduction de l'effectif de 2 200 employés. On comprend donc que ce n'est pas le refus de compensation du programme d'assurance-chômage qui a remis en cause le programme de « semaine réduite » sur une base individuelle et volontaire, mais bien le désir des employés de ne pas subir de diminution de revenu même si elle pouvait être faible par rapport au temps libre gagné.

Compte tenu de la conclusion que la direction de Bell tira, à savoir que le programme de « semaine réduite » de travail sur une base individuelle et volontaire n'était pas réalisable, elle ouvrit immédiatement des négociations avec les syndicats, et particulièrement avec celui représentant les techniciens, pour arriver à une entente collective négociée sur la réduction temporaire de la semaine de travail. Comme dans toute négociation collective, Bell a dû faire certaines concessions particulièrement sur les modes de réorganisation du travail en régime de « semaine réduite ». Malgré ces concessions, ce n'est pas sans réticences que les techniciens acceptèrent cette entente.

Semaine réduite et productivité du travail

À la suite de la mise en application d'une entente négociée sur la réduction de la semaine de travail, qu'est-il arrivé à la productivité du travail chez Bell Québec ? Comme on le verra dans ce qui va suivre, il n'est pas facile de répondre à cette question de façon rigoureuse. Les données qui nous ont été fournies par Bell Québec nous ont permis de répondre partiellement mais rigoureusement à cette question.

Lorsque la technologie est donnée, il y a, au minimum, cinq conditions pour le maintien de la productivité à la suite de la mise en application d'un programme important de partage de l'emploi.

1. Maintien de l'intensité du travail des employés dans leur nouvel horaire de travail

Cette condition est souvent perçue comme allant de soi. Plus encore, on affirme souvent que la réduction du temps de travail devrait accroître cette intensité et avoir un effet positif sur la productivité. C'est à partir de cette éventualité que l'on préconise la réduction de la semaine de travail sans réduction de rémunération ou avec une réduction moins que proportionnelle de cette dernière. On fait appel aux précédents historiques où il y a eu une forte corrélation entre la diminution des heures travaillées et la croissance de la productivité. On doit d'abord souligner que le sens de la causalité dans cette relation n'est pas nécessairement unique. Est-ce l'augmentation de la productivité découlant du progrès technique qui a entraîné une baisse des heures travaillées ou strictement l'effet de la diminution du nombre d'heures travaillées sur le comportement des travailleurs ? De plus, si on peut penser que la réduction de 70 heures à 60 heures à 50 et à 40 heures du nombre d'heures travaillées par semaine a pu avoir une incidence sur la productivité en augmentant l'intensité au travail de la part de travailleurs moins fatigués, il n'est pas évident qu'en deçà de 40 heures par semaine on trouve le même impact. D'autant plus que la diminution des heures se combine souvent avec un réaménagement de la semaine de travail sur quatre jours avec des journées de travail plus longues. On ne doit donc pas trop compter sur une augmentation de productivité qui découlerait directement de la réduction des heures dans un contexte de semaines travaillées déjà inférieures à 40 heures. Il faudrait plutôt compter sur l'effet de la satisfaction plus grande de l'employé, face à son temps de travail sur l'intensité de son travail. Or, se pose ici le problème des préférences des travailleurs pour le temps de travail. Nous avons vu qu'au plus 10 % des travailleurs voulaient réduire leur temps de travail, que la très grande majorité étaient satisfaits du temps qu'ils travaillaient compte tenu du salaire reçu et qu'une minorité significative voulaient même travailler davantage. Dans le cas d'une réduction plus ou moins imposée de la semaine de travail avec baisse de rémunération, on sait que 90 % des employés risquent d'être plus ou moins insatisfaits de cette nouvelle situation. Il serait pour le moins étonnant que leur ardeur au travail augmente à la suite d'un tel réaménagement de la semaine de travail. Le contraire serait plus normal.

Dans le cas de Bell Québec, il faut reconnaître qu'après qu'on eut constaté l'impossibilité de réaliser les objectifs du « *Programme de réajustement de l'effectif* » sur une base volontaire, on arriva, avec la collaboration des dirigeants syndicaux, à une solution qui fut par la suite imposée aux employés. Le contexte n'était donc pas nécessairement propice à des gains de productivité par une augmentation de l'ardeur au travail des employés à la suite de l'implantation de la semaine réduite.

2. Maintien de la cohésion, de la coopération et de l'expérience moyenne au sein des équipes de travail

Si le travail se fait au sein d'équipes, des études antérieures ont démontré que la productivité de chacun dépend de la cohésion de l'équipe, de la qualification professionnelle et de l'expérience moyenne des membres de l'équipe. Si un réaménagement de la semaine de travail entraîne des chambardements plus ou moins importants au sein des équipes de travail, la productivité de chacun pourra en être affectée négativement. Le réaménagement de la semaine de travail chez Bell Québec a effectivement impliqué la réaffectation de nombreux employés à des fonctions différentes et ce fait peut jouer négativement sur la productivité.

3. Maintien de la qualité de l'arrimage entre les temps de présence des employés et les moments les plus appropriés de production

On sait que la fluidité dans les opérations de production atteint un maximum à un certain rythme de production et que plus on réussit à produire régulièrement à ce rythme, plus la productivité moyenne du travail est élevée. Donc, l'organisation du travail sera d'autant meilleure qu'elle fait alterner temps mort et temps de travail de telle sorte que le rythme de production soit le plus souvent possible celui qui assure la productivité la plus élevée. Le réaménagement de la semaine de travail des techniciens chez Bell Québec, qui réduisait la semaine à quatre jours allongés d'une heure et plaçait la troisième journée de congé le lundi ou le vendredi, allait clairement à l'encontre du principe précédent. On pouvait donc s'attendre à un effet négatif de ce réaménagement du temps de travail sur la productivité des techniciens.

4. Maintien de la proportion du temps de travail improductif [« mise en route »]

Généralement, lorsqu'un travailleur ou une équipe de travail commence sa période de travail, il y a une période d'ajustement et de transfert d'informations avant que le travail effectif débute vraiment. Cette période est nécessaire mais improductive au sens strict. Le plus bel exemple de ce qui précède s'observe dans le milieu hospitalier. Lorsqu'une nouvelle équipe d'infirmières entreprend son quart de travail, l'équipe en place doit transmettre une série d'informations sur l'état de santé de chacun des patients et les actions prises dans les heures précédentes. Ce transfert d'informations est essentiel, mais prend un certain temps au cours duquel on ne prodigue aucun soin infirmier. Si, par la réduction du temps de travail, vous augmentez le nombre de fois que ces informations doivent être transmises, vous réduisez le temps de travail productif.

Cet effet sera plus ou moins important selon l'importance du relais qui doit être fait d'un travailleur à l'autre ou d'une équipe de travail à l'autre.

5. Maintien de l'efficacité dans l'utilisation des équipements existants

Ce dernier facteur est étroitement relié aux facteurs précédents et joue généralement dans le même sens.

Au total donc, on constate que conjuguer la diminution de la semaine de travail avec le maintien ou l'augmentation de la productivité n'est pas une opération facile à réaliser.

Les difficultés de mesure

Il est difficile d'évaluer rigoureusement l'impact d'une mesure particulière, tel un programme de partage de l'emploi, sur la productivité du travail. D'abord, il y a une série d'emplois dans une entreprise pour lesquels il n'existe pas de mesures directement et régulièrement observables de productivité. C'est le cas des cadres et d'une forte proportion des professionnels dans une entreprise. Ensuite, même pour les activités pour lesquelles nous avons des mesures précises de productivité, il nous faut aussi avoir l'ensemble des autres données qui nous permettent d'isoler l'effet propre de la semaine réduite sur la productivité. Enfin, ces données doivent être disponibles pour une période relativement longue, avant la mise en place de la semaine réduite, durant la durée du programme et après le programme.

Nous avons donc décidé de limiter notre étude de l'impact de la semaine réduite sur la productivité à un sous-groupe d'activités de production réalisées par les techniciens. Les activités retenues sont au nombre de trois et portent sur le secteur résidentiel : 1. la réparation de lignes téléphoniques ; 2. l'installation de lignes téléphoniques ; 3. la réinstallation de lignes téléphoniques. Ces trois activités ont été retenues pour diverses raisons. D'abord, nous avions pour ces activités des données satisfaisant les critères énoncés plus haut. Ensuite, nous savions que, dans ces activités, il n'y avait pas eu de modifications dans les fonctions de production au cours de la période d'observation. Enfin, nous pouvions, pour ces dernières, tenir compte des différents facteurs, autres que la réduction de la semaine de travail, ayant une influence sur la productivité.

À ces trois activités de production, nous avons ajouté un indicateur indirect d'efficacité avec laquelle un service est rendu, à savoir le temps d'attente pour une réparation.

Les données utilisées

Les données de productivité portent sur quatre régions géographiques du Québec : Montréal, la Ville de Québec, la rive sud du Saint-Laurent et la rive nord du Saint-Laurent. Des mesures mensuelles de productivité ont été colligées pour chacune des trois activités précitées, à savoir : le nombre de nouvelles installations par heure travaillée, le nombre de réinstallations par heure travaillée et le nombre de réparations par heure travaillée. En ce qui a trait au temps d'attente dans le cas d'une réparation, nous avons retenu comme mesure le nombre d'heures entre le moment où la requête était faite et celui où la réparation était terminée.

Pour les réparations et le temps requis pour effectuer une réparation, les données étaient disponibles de janvier 1992 à août 1995 alors que, pour les nouvelles installations et les réinstallations, la période couverte allait de janvier 1993 à août 1995. Dans l'ensemble, nous avions suffisamment d'observations pour effectuer des analyses statistiques fiables.

Les résultats

En utilisant les méthodes statistiques appropriées et en tenant compte des facteurs autres que le programme de semaine réduite pouvant affecter la productivité, nous avons pu isoler l'incidence propre de ce programme sur la productivité dans les trois activités de production antérieurement décrites et sur les délais de réparation[3].

Tel qu'on l'a anticipé, il y a eu une baisse importante de productivité dans les trois activités retenues [tableau 2.7]. De 3 % dans l'activité de réparation, cette baisse dépasse les 8 % dans les activités d'installations et de réinstallations. De plus, cette baisse n'a pas été temporaire, mais s'est maintenue sur l'ensemble de la période d'application du programme de semaine réduite. Cette persistance ne se retrouve pas dans le cas du « délai », car des mesures de rappel de travailleurs ont été mises en place lorsque la compagnie a compris que le service à la clientèle se détériorait au-delà de l'acceptable. Ces

TABLEAU 2.7

PORTRAIT GÉNÉRAL DE L'EFFET DE LA SEMAINE RÉDUITE DE TRAVAIL
[BELL QUÉBEC]

Activité Effets	Réparations	Réinstallations	Nouvelles installations
Productivité	Baisse de 3 % Persistant[*]	Baisse de 8,6 % Persistant[*]	Baisse de 8,3 % Persistant[*]
Délai	Hausse de 13 % Décroissant[**]		

[*] Persistant : L'effet se maintient sur l'ensemble de la période de l'application du programme.

[**] Décroissant : L'effet diminue au cours de la période d'application du programme.

———

3. On trouvera la description des variables, la méthodologie et les principaux résultats en annexe du présent chapitre.

mesures ont graduellement réduit la hausse initiale des délais de réparation.

Ces résultats confirment éloquemment ce que nous avons souligné antérieurement, à savoir qu'il n'est pas facile de mettre en place un programme important de partage de l'emploi tout en maintenant ou en augmentant la productivité. Comme on le verra, toutefois, dans le chapitre suivant portant sur le cas Volkswagen en Allemagne, on peut y arriver entre autres si l'on conjugue un tel programme avec une réorganisation substantielle du travail.

Conclusion

L'étude rétrospective que nous avons faite du programme de partage de l'emploi mis en place par Bell Canada est unique à bien des égards. D'abord, nous avons eu accès, pour réaliser cette étude, à des données d'entreprise exhaustives qui sont généralement peu ou ne sont pas du tout disponibles aux chercheurs. Nous avons pu de ce fait étudier dans le détail les choix volontaires de près de 15 000 employés quant aux divers volets d'un programme important de partage de l'emploi. Nous avons pu aussi, grâce à des données inédites de productivité, analyser, de façon rigoureuse, l'incidence du programme de semaine réduite sur la productivité du travail dans des activités précises de production. Là encore, il s'agit de résultats uniques.

Les résultats que nous avons obtenus vont à l'encontre d'une opinion de plus en plus répandue voulant que, d'une part, une majorité importante de travailleurs soient prêts à réduire leur semaine de travail même si cela implique une réduction compensatrice de leur salaire et, d'autre part, que la réduction du temps de travail pour stabiliser ou accroître l'emploi n'ait pas d'effet négatif sur la productivité.

En somme, le cas de Bell confirme les résultats d'enquêtes antérieures voulant qu'un très faible pourcentage de travailleurs nord-américains soient prêts, au salaire qu'ils font, à réduire leur temps de travail si cette réduction s'accompagne d'une baisse compensatrice de leur revenu. Bien sûr, si leur propre emploi est en cause, ils préfèrent le conserver en travaillant moins et en ayant des revenus moindres que de le perdre. Toutefois, si ce sont les emplois des autres qui sont en cause, ils considèrent leur temps de travail comme leur appartenant et ont une très faible propension à le partager. Dans ce contexte, on doit voir avec beaucoup de circonspection les sondages d'opinion publique sur le sujet. En effet, la personne « sondée » se trouve généralement dans une situation bien particulière. On lui pose une question du genre : « *Seriez-vous prêt à diminuer vos heures de travail pour réduire le chômage même si cela impliquait une certaine baisse de revenu ?* » D'abord, la première réaction de la personne, c'est de croire qu'à son taux d'impôt une petite baisse des heures serait sans conséquence sur son chèque de paie. En second lieu, dire *oui* ne représente aucun engagement de sa part à participer à un programme quelconque de partage de l'emploi. Enfin, dire *non* est plutôt gênant dans un contexte où l'on fait appel à la solidarité et à la générosité. Comme dire *oui* n'implique aucun coût personnel, on comprend que le choix peut être biaisé.

Donc, le cas de Bell, où les employés étaient parfaitement informés des conséquences financières de la réduction du temps de travail, savaient qu'en disant *oui* ils se commettaient auprès de leur employeur et connaissaient la probabilité de conserver leur emploi même en ne participant pas au programme, est sûrement plus près de la réalité des préférences des travailleurs pour le temps de travail que bien des sondages d'opinion publique.

Cette étude de cas nous fait aussi réaliser à quel point il est difficile de conjuguer partage de l'emploi et maintien de la productivité lorsqu'on n'a que peu ou pas d'expériences passées dans une telle opération. Voilà une entreprise et des employés qui ont délibérément choisi un programme de partage de l'emploi plutôt que des mises à pied. La condition première était donc, en principe, présente pour sauvegarder la productivité. Nos résultats montrent que l'impact négatif sur la productivité fut important et persistant. Sans expériences passées de réaménagements réguliers du temps de travail, il est difficile de sauvegarder le niveau de productivité. La substituabilité hommes/heures est loin d'être parfaite et c'est le problème majeur du réaménagement du temps de travail.

Comme on le verra dans les prochains chapitres, si le cas de Bell nous invite à la prudence, le cas de Volskwagen nous conviera à la réflexion sur l'importance des expériences passées et d'une conjugaison du réaménagement du temps de travail avec une réorganisation importante du travail.

Annexe

L'impact de la semaine réduite de travail sur la productivité des travailleurs

Cette annexe fait état des résultats de la recherche du CIRANO quant à l'effet de la semaine réduite de travail sur la productivité. Nous présentons d'abord les données ayant été utilisées pour cette analyse statistique. Par la suite, nous donnons la méthodologie utilisée ainsi que les différents modèles estimés. Finalement, une dernière section fait état des principaux résultats.

Données

Afin de déterminer l'incidence de différents facteurs sur la productivité des travailleurs, et plus précisément l'effet de la semaine réduite de travail (toutes choses étant égales d'ailleurs), un ensemble de variables ont été prises en considération. Cette section a pour but de tracer un portrait général de l'ensemble de ces variables.

Variables expliquées [dépendantes] :

Différentes mesures du niveau de la productivité :

- Le nombre d'installations téléphoniques, par heure travaillée.
- Le nombre de réinstallations téléphoniques, par heure travaillée.
- Le nombre de réparations de lignes téléphoniques, par heure travaillée.

[À *noter que, pour le secteur de la réparation, on dispose également du temps d'attente par réparation comme mesure de productivité.*]

Le tableau A.1 donne un portrait général des quatre mesures de productivité énumérées précédemment par région. Pour chacune des mesures, il est possible de noter le niveau de la productivité pendant et en dehors de la période d'application du programme de la semaine réduite de travail.

Variables explicatives :

- Variables dichotomiques de régions et de saisons (ou de mois) afin de tenir compte des coûts de transport et des fluctuations de la demande selon les régions et les saisons.
- Heures travaillées pour tenir compte des économies d'échelle possible.
- Variable dichotomique pour le temps partagé qui capte l'effet de la semaine réduite de travail sur la productivité des travailleurs.
- % de nouveaux employés. Cette variable veut capter l'effet de la qualité de la main-d'œuvre sur la productivité des travailleurs.
- Proportion des petites commandes (essentiellement pour le secteur des réinstallations). Cette variable capte l'effet de la proportion de petites commandes par rapport à l'ensemble des commandes sur la productivité. Elle nous permet de tenir compte du type de réinstallations qui influence la complexité de la tâche à effectuer.
- Diverses variables dichotomiques croisées (par exemple : le produit de la variable dichotomique « partage du travail » et de la variable dichotomique « Montréal » nous indique l'effet de la semaine réduite de travail à Montréal).

Tableau A.1

Données sur la productivité - moyennes et écarts types [Bell Québec]

Montréal

	Réparations	Délais	Réinstallations	Nouvelles installations
Productivité avec partage de l'emploi	0,744 (0,027)	23,06 (4,73)	0,955 (0,185)	0,382 (0,074)
Productivité sans partage de l'emploi	0,745 (0,034)	18,95 (4,64)	0,99 (0,122)	0,376 (0,079)

Rive nord

	Réparations	Délais	Réinstallations	Nouvelles installations
Productivité avec partage de l'emploi	0,597 (0,039)	27,03 (5,17)	0,720 (0,095)	0,253 (0,52)
Productivité sans partage de l'emploi	0,609 (0,037)	23,50 (3,80)	0,830 (0,116)	0,277 (0,053)

Rive sud

	Réparations	Délais	Réinstallations	Nouvelles installations
Productivité avec partage de l'emploi	0,593 (0,044)	25,60 (5,93)	0,725 (0,095)	0,261 (0,077)
Productivité sans partage de l'emploi	0,590 (0,038)	22,67 (3,21)	0,823 (0,096)	0,280 (0,068)

Québec

	Réparations	Délais	Réinstallations	Nouvelles installations
Productivité avec partage de l'emploi	0,576 (0,032)	30,94 (6,99)	0,904 (0,0127)	- -
Productivité sans partage de l'emploi	0,602 (0,043)	26,77 (5,76)	0,916 (0,0133)	- -

Total

	Réparations	Délais	Réinstallations	Nouvelles installations
Productivité avec partage de l'emploi	0,627 (0,077)	26,66 (6,28)	0,826 (0,166)	0,286 (0,087)
Productivité sans partage de l'emploi	0,636 (0,074)	22,97 (5,02)	0,890 (0,135)	0,311 (0,081)

Source : Banque de données Bell-CIRANO

Type d'estimation utilisé et modèles estimés

Type d'estimation

Étudier un lien de causalité entre deux variables peut, au départ, sembler être une tâche relativement facile. Cependant, on doit reconnaître la complexité d'une telle démarche. En effet, étant donné la présence de certains facteurs externes pouvant aussi jouer sur la productivité, nous devons avoir recours à une méthode statistique tenant simultanément compte de l'ensemble de facteurs susceptibles d'influencer cette relation. C'est pourquoi, l'analyse statistique multivariée et plus particulièrement la technique des moindres carrés ordinaires est employée[4]. La technique d'analyse multivariée nous permet ainsi d'isoler l'effet net de la semaine réduite de travail sur la productivité des travailleurs après avoir contrôlé pour les autres facteurs susceptibles d'influencer la productivité en même temps.

Modèles estimés

Comme nous disposions de quatre mesures de productivité distinctes, l'analyse statistique a consisté à estimer quatre modèles visant à reconnaître l'impact de la semaine réduite de travail pour chacun des secteurs d'activité. Les quatre modèles de base estimés sont les suivants :

---

4. Différents tests ont été effectués afin de déterminer la présence d'hétéroscédasticité et d'autocorrélation des erreurs. Ces tests ont démontré un problème d'autocorrélation des erreurs du premier ordre. Les estimations ont ainsi été corrigées par la méthode de Corchrane-Orcutt.

Secteur « Réparation »

• *Au niveau de la productivité*

Ln (Réparations$_{it}$) = β_0 + (1 + β_1) Ln Heures travaillées$_{it}$ + β_2 Partage du travail$_{it}$ + β_3 Montréal$_{it}$ + β_4 Rive sud$_{it}$ + β_5 Québec$_{it}$ + β_6 Été$_{it}$ + β_7 Printemps$_{it}$ + β_8 Automne$_{it}$ + β_9 % de nouveaux employés$_{it}$ + v_{it}

• *Au niveau des délais*

Ln (Délais$_{it}$) = β_0 + β_1 Heures travaillées$_{it}$ + β_2 Partage du travail$_{it}$ + β_3 Montréal$_{it}$ + β_4 Rive sud$_{ir}$ + β_5 Québec$_{it}$ + β_6 Été$_{it}$ + $_7$ Printemps$_{it}$ + β_8 Automne$_{it}$ + β_9 % de nouveaux employés$_{it}$ + v_{it}

Secteur « Installation »

• *Au niveau de la Productivité-Réinstallation*

Ln (Réinstallations) = β_0 + (1 + β_1) Heures travaillées$_{it}$ + β_2 Partage du travail$_{it}$ + β_3 Montréal$_{it}$ + β_4 Rive sud$_{it}$ + β_5 Québec$_{it}$ + β_6 Été$_{it}$ + β_7 Printemps$_{it}$ + β_8 Automne$_{it}$ + β_9 % de nouveaux employés$_{it}$ + β_{10} Proportion des petites commandes$_{it}$ + v_{it}

• *Au niveau de la Productivité-Installation*

Ln (Nouvelles installations) = β_0 + (1 + β_1) Heures travaillées$_{it}$ + β_2 Partage du travail$_{it}$ + β_3 Montréal$_{it}$ + β_4 Rive sud$_{it}$ + β_6 Février$_{it}$ + β_7 Mars$_{it}$ + β_8 Avril$_{it}$ + β_9 Mai$_{it}$ + β_{10} Juin$_{it}$ + β_{11} Juillet$_{it}$ + β_{12} Août$_{it}$ + β_{13} Septembre$_{it}$ + β_{14} Octobre$_{it}$ + β_{15} Novembre$_{it}$ + β_{16} Décembre$_{it}$ + β_{17} % de nouveaux employés + v_{it}

Afin de déterminer l'impact de la semaine réduite de travail, la variable dichotomique « partage du travail » est égale à un lors de l'application du programme et égale à zéro en dehors de la période d'application du programme. L'utilisation de ce type de variable dichotomique postule que l'effet du programme de partage du travail sur la productivité est immédiat et uniforme sur l'ensemble de la période d'application du programme. Néanmoins, il est permis de croire que la semaine réduite de travail puisse avoir un effet immédiat sur la productivité, mais que graduellement, en raison de la capacité d'adaptation des travailleurs à la semaine réduite de travail, on observe un retour de la productivité à son niveau initial. À cet égard, différents scénarios ont été pris en considération. Parmi ceux-ci, le modèle utilisant la variable dichotomique usuelle et le modèle utilisant la variable dichotomique qui stipule que l'effet de la semaine réduite de travail est décroissant au cours de la période à un rythme croissant représente les deux modèles donnant les meilleurs résultats.

Résultats sommaires

Le tableau A.2 présente les principaux résultats des estimations statistiques[5]. On y constate que la semaine réduite de travail diminue la productivité de façon significative (8,6 % pour le secteur des réinstallations, 8,3 % pour le secteur des nouvelles installations, 3 % pour le secteur de la réparation, et 13 % pour les délais)[6]. Dans les trois premiers cas, la variable dichotomique usuelle produit les meilleurs résultats, tandis que pour les délais, l'impact de la semaine réduite de travail est décroissant au cours de la période d'application du programme du partage de l'emploi[7].

Le coefficient associé au nombre d'heures travaillées indique que la productivité semble peu affectée par le nombre d'heures

---

5. On trouve l'ensemble des résultats et les méthodes utilisées dans Lanoie, Raymond et Shearer (1996).

6. À noter que pour trouver l'effet de la semaine réduite de travail sur la productivité, il suffit d'utiliser l'inverse du logarithme naturel du coefficient associé à la variable « partage de l'emploi », de soustraire 1 de cette valeur et de multiplier par 100 pour obtenir le résultat en pourcentage.

7. À noter que l'effet de la semaine réduite de travail s'amenuise au cours de la période à la suite d'une opération majeure (embauche de personnel) afin de rehausser la qualité du service et par le fait même diminuer les délais associés aux réparations.

travaillées pour la réparation et les réinstallations, tandis que le nombre d'installations par heure travaillée est négativement relié au nombre d'heures travaillées. Les variables dichotomiques de régions indiquent qu'indépendamment de la semaine réduite, la productivité de la région de Montréal est supérieure de 21 % pour le secteur de la réparation, 16 % pour le secteur des réinstallations, 46 % pour le secteur des nouvelles installations et les délais sont inférieurs de 23,5 %. Ces résultats peuvent s'expliquer par la forte densité de population de cette région qui a pour effet de réduire le temps entre deux opérations et du même coup d'augmenter de façon significative la productivité des travailleurs de cette région. De plus, les variables dichotomiques de saisons ou de mois indiquent que la productivité est plus élevée pour les secteurs des nouvelles installations et réinstallations au cours des périodes estivale (respectivement 42,1 % et 10,7 %) et automnale (respectivement 12,4 % et 10,5 %) comparativement à la période hivernale[8].

---

8. À noter que certains résultats liés aux variables dichotomiques de saisons ne sont pas apparents selon le tableau A2 qui suit. Pour consulter l'ensemble des résultats, voir l'étude citée à la note de bas de page 5.

TABLEAU A.2

EFFET DU PARTAGE DE L'EMPLOI SUR LA PRODUCTIVITÉ* [BELL QUÉBEC]
COEFFICIENTS ESTIMÉS [ÉCARTS TYPES]

	Réparations	Délais	Réinstallations	Nouvelles Installations
Constante	-0,596 (0,244)	-0,366 (0,482)	0,301 (0,352)	1,743 (0,674)
Heures travaillées	0,011 (0,027)	0,393 (0,054)	-0,055 (0,045)	-0,362 (0,079)
Partage de l'emploi	-0,031 (0,015)	0,122 (0,034)	-0,09 (0,031)	-0,087 (0,044)
Montréal	0,191 (0,022)	-0,268 (0,050)	0,151 (0,045)	0,386 (0,039)
Québec	-0,029 (0,021)	0,126 (0,123)	0,116 (0,034)	
Rive sud	-0,042 (0,021)	-0,063 (0,044)	0,012 (0,033)	-0,077 (0,039)
Été	0,027 (0,018)	-0,096 (0,037)	0,102 (0,042)	
Printemps	-0,003 (0,013)	-0,058 (0,027)	-0,027 (0,035)	
Automne	0,014 (0,015)	-0,060 (0,030)	0,100 (0,037)	
% Nouveaux employés	0,604 (0,368)	1,257 (0,704)	0,071 (0,098)	0,314 (0,112)
% Petites commandes			0,167 (0,071)	
Dichotomique - mois	Non	Non	Non	Oui
Log de la fonction de vraisemblance	276,71	149,67	86,13	103,43

* Pour les réparations, les réinstallations et les nouvelles installations, l'effet du partage de l'emploi sur la productivité est représenté par une variable dichotomique (0,1). Pour les délais, ce même effet est représenté par une baisse immédiate puis une remontée graduelle. Les variables dichotomiques croisées n'apparaissent pas dans ce tableau car aucune d'entre elles n'a un pouvoir explicatif significatif.

CHAPITRE 3

La semaine réduite de travail : le cas de Volkswagen

Au chapitre précédent nous avons tenté de comprendre pourquoi le programme de partage de l'emploi de Bell Canada n'avait absolument pas connu le succès escompté par l'employeur, les travailleurs et le syndicat qui avaient collaboré à sa mise en place en janvier 1994. Au même moment, dans un autre pays, une entreprise géante, Volkswagen, implantait un programme majeur de partage de l'emploi pour éviter 30 000 mises à pied. Comme on le verra dans ce qui suit, ce programme est un succès jusqu'à maintenant.

Pour comprendre la réussite du programme de partage de l'emploi chez Volkswagen, il faut le situer dans l'histoire des relations de travail et des expériences passées de cette compagnie. Ce succès n'est ni le fruit du hasard ni celui d'une génération spontanée. Il se comprend et s'explique lorsque l'on accepte de faire un retour dans l'histoire de Volkswagen ainsi que dans celle des institutions mises en place et de leur utilisation.

Dans le présent chapitre, nous verrons d'abord le rôle crucial qu'a joué et joue encore le système de codétermination qui se concrétise par un mode de concertation des relations entre le comité d'entreprise, le syndicat et la direction. Par la suite, nous tracerons l'histoire du partage de l'emploi chez Volkswagen comme instrument de stabilisation de l'emploi. Nous verrons alors que l'entente de décembre 1993 sur la réduction de la semaine de travail, pour éviter 30 000 mises à pied, était une suite logique aux expériences du passé. Nous examinerons, enfin, l'entente de partage de l'emploi de 1993 à l'aide des données que nous avons pu obtenir de Volkswagen. Ces données sont beaucoup moins exhaustives que celles mises à notre disposition par Bell Canada. Elles nous ont quand même permis d'évaluer l'impact du programme chez Volkswagen et d'en constater le succès jusqu'à maintenant.

La codétermination chez Volkswagen

C'est durant le miracle allemand de l'après-guerre que Volkswagen pris son essor. La popularité de la *voiture du peuple*, la « coccinelle » [Beetle], lui permit, en effet, de s'implanter solidement sur les marchés domestiques et étrangers. Le succès de cette petite voiture cachait la réussite de l'organisation interne et de la structure de gestion de Volkswagen. Au contraire de ses concurrents japonais, Volkswagen, comme la plupart des autres assembleurs automobiles allemands, est hautement intégré verticalement (Streeck 1984, 1989). Tout au long de son histoire, Volkswagen a presque exclusivement utilisé des chaînes de production classiques où chaque travailleur exécute une ou plusieurs tâches. Le travail d'équipe n'avait pas cours au moment où Volkswagen connaissait sa forte croissance (Jürgens, Malsch, Dohse 1993). Son adhésion complète au modèle de production classique de l'industrie automobile américaine mérita d'ailleurs à Volkswagen la réputation d'être plus « FORD » que FORD (Tolliday 1995). Il y avait toutefois une différence majeure entre l'entreprise automobile américaine et l'entreprise allemande. Cette différence, localisée au cœur même de l'organisation interne de Volkswagen, est le système de codétermination, c'est-à-dire la concertation des relations entre le comité d'entreprise, le syndicat et la direction.

Bien que la négociation collective régionale soit chose courante en Allemagne, chez Volkswagen, on négocia toujours ses propres ententes syndicales-patronales. Cette particularité permit une négociation collective qui fut non seulement propre à l'industrie de l'automobile, mais aussi particulière à la situation de Volkswagen (Streeck 1989). En fait, quelques ententes ont même été signées malgré l'opposition de l'association des employés de l'industrie métallurgique (Gesamtmetall) ou du syndicat national (IG Metall) représentant les travailleurs de Volkswagen.

Le comité d'entreprise est un autre véhicule puissant de représentation des intérêts des travailleurs. Or, chez Volkswagen, le comité d'entreprise a plus de pouvoir que ne le stipule la loi allemande de codétermination. Le comité d'entreprise est composé de représentants de trois groupes principaux : l'ensemble des employés, le syndicat et le personnel cadre. La majorité des membres de ce comité sont élus par l'ensemble des travailleurs auxquels s'ajoutent des membres nommés par la direction et le syndicat. Quatre sous-comités du comité d'entreprise ont des responsabilités particulières. L'embauche, les congédiements, la conception et la mise en place de plans sociaux lors de mises à pied massives relèvent du sous-comité des ressources humaines. Le sous-comité de la formation est responsable de l'apprentissage et de la formation au travail. Quant aux conditions de travail et à l'adoption de nouvelles technologies, elles relèvent du sous-comité des relations de travail. Enfin, les stratégies de long terme de la compagnie sont examinées par le sous-comité de planification [graphique 3.1]. Les membres principaux du comité d'entreprise participent aux négociations collectives et le président du comité d'entreprise est aussi un officier supérieur du syndicat national IG Metall. Au sein de l'entreprise, tous reconnaissent que le comité d'entreprise représente bien les intérêts légitimes de tous les employés (Brumlop et Jürgens 1982 ; Turner 1992). Tout en étant la voix des travailleurs et le médiateur de leurs droits individuels, le comité d'entreprise reconnaît les responsabilités et les pouvoirs de la direction. Les comités d'entreprise allemands sont très sensibles au sort de leur entreprise non

GRAPHIQUE 3.1

Le Comité d'entreprise de Wolfsburg

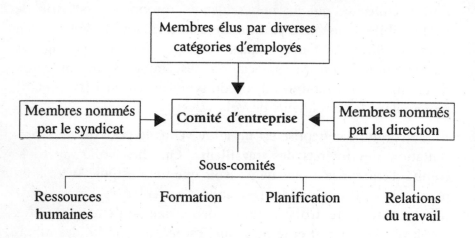

Source : General Works Council (1993).

seulement parce qu'ils sont élus par l'ensemble des employés, mais aussi parce qu'ils ont une bonne connaissance de l'état et des conditions du marché des produits de leurs compagnies (Freeman et Lazear 1994).

Dans la structure de direction de la compagnie, on trouve des représentants du comité d'entreprise et du syndicat au conseil exécutif ou de supervision. Des représentants de haut niveau du gouvernement fédéral, du Land[1], des banques et autres institutions financières siègent aussi à ce conseil. Une structure tripartite est ainsi en place pour déterminer les grandes orientations de la compagnie incluant les politiques propres aux ressources humaines.

---

1. Le Land de Basse-Saxe est l'actionnaire majoritaire de Volkswagen.

Le partage de l'emploi chez Volkswagen

Volkswagen a connu des périodes difficiles avant 1992. Pendant la guerre, par exemple, elle a eu recours aux semaines ou aux jours de travail réduits parce que ses fournisseurs ne pouvaient plus répondre à ses commandes. Durant les années 50, tout en augmentant sa part de marché grâce au succès de la « coccinelle », l'entreprise réduisait les heures de travail durant les périodes de ralentissement (Tolliday 1995). Même si l'entreprise parut surprise par l'ampleur de la réduction de la demande de la « coccinelle » à la fin des années 60, elle réagit très rapidement par une combinaison de fermetures des postes vacants, de retraites anticipées, de non-renouvellement de contrats des travailleurs étrangers et de réduction des heures de travail. Entre 1974 et 1975, Volkswagen réussit à réduire sa main-d'œuvre d'environ 30 000 employés, sans qu'aucune mise à pied soit nécessaire (Streeck 1984).

Le modèle de codétermination fut une fois de plus mis à l'épreuve à la fin des années 70 et au début des années 80 lorsque la compagnie introduisit l'équipement à commande numérique dans son processus de production. En aucun temps il n'a été question de mise à pied. Volkswagen eut recours à un programme généreux de retraite anticipée afin de réduire son effectif. Durant les années de crise de 1970 et 1980, pour réduire momentanément sa production, l'entreprise procéda à des réductions des heures de travail et les employés furent indemnisés par le système d'assurance-chômage comme la loi le prévoit. (Streeck 1984). Lorsque les heures de travail réduites se sont prolongées sur plusieurs mois consécutifs, que les pertes de revenus devinrent importantes, le comité d'entreprise subit des pressions pour rétablir la semaine de travail normale. Pour atténuer les effets sur les revenus, le comité d'entreprise limita l'utilisation du temps supplémentaire, distribuant plus également le travail au cours de l'année et réduisant le recours au temps de travail réduit.

À partir des années 80, un consensus se dégagea voulant que, pendant les récessions à venir, la direction ait le droit de négocier,

GRAPHIQUE 3.2

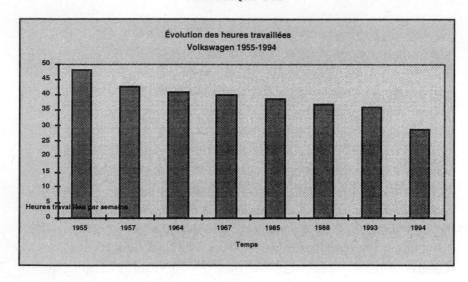

Source : General Works Council (1995)

avec le comité d'entreprise, une réduction du temps de travail ou même des mises à pied (Jürgens 1995). Le comité pourrait devoir négocier un plan de licenciement et participer à sa mise en place. Notons, enfin, que la durée de la semaine de travail n'a pas été significativement modifiée pendant les années 70 et 80 et est demeurée presque stable à 40 heures entre 1967 et 1985 (Thelen 1991). Comme l'indique le graphique 3.2, elle n'a subi de modifications significatives qu'après l'entente de réduction du temps de travail.

Malgré ces chocs répétés subis par Volkswagen, la composition de sa main-d'œuvre reflète bien l'engagement de la compagnie à stabiliser l'emploi[2]. En effet, à la fin de 1994, l'âge moyen des travailleurs de l'usine de Wolfsburg était de 38,4 ans avec une

---

2. Les données fournies dans ce paragraphe reposent sur des entrevues que nous avons eues avec le comité d'entreprise en juin 1995.

ancienneté moyenne de 15,5 années et le salaire moyen était de 5 035 MA ou environ 4 500 $ par mois avec 30 jours de vacances payées. Ce salaire est plus élevé que celui des autres entreprises manufacturières de la région, mais se situe dans la moyenne des salaires des autres producteurs automobiles. La différence la plus marquante avec les producteurs automobiles nord-américains est le niveau élevé d'éducation et de formation des employés de Volkswagen. Environ 30 % des cols blancs ont un diplôme universitaire ; 38 % des employés ont une formation d'apprenti ; 26 % ont un diplôme technique et seulement 5 % n'ont aucune qualification. Volkswagen est fortement impliquée dans la formation de sa main-d'œuvre. En effet, en 1988, 20 % des travailleurs sur les lignes de production avaient reçu une formation propre à la firme et à l'usine. En 1995, ce taux a atteint 30 % et la firme planifie qu'il s'élèvera à 40 % pour 1997.

En résumé, Volkswagen, dont les sites allemands sont presque exclusivement localisés en région rurale, s'est constituée une main-d'œuvre composée de travailleurs hautement qualifiés et bien rémunérés. Ce modèle de *qualification élevée/salaire élevé* obligea toutefois la compagnie à avoir une stratégie de marché qui évita la concurrence par les coûts en concentrant ses efforts sur la qualité et la réputation de ses produits. Ce modèle fut rudement mis à l'épreuve au début des années 90 lorsque les concurrents ont commencé à éroder la part de marché de la compagnie.

Avant de passer au contexte et à l'entente de décembre 1993 réduisant la semaine de travail chez Volkswagen à 28,8 heures, il nous faut faire le point sur la situation. Comme nous l'avons dit en introduction à ce chapitre, la conception, l'implantation et le succès de l'entente de 1993 sont une suite logique d'expériences antérieures et de choix institutionnels telle la codétermination, bien particulière à l'Allemagne et à Volkswagen. On ne trouvait pas chez Bell, en 1993, les mêmes expériences et les mêmes institutions. On verra au chapitre 5, à un niveau plus général, les conséquences de ces différences.

L'entente de 1993 : la semaine de 28,8 heures

En 1992, le coût de la main-d'œuvre représentait 25 % de la valeur des ventes de Volkswagen. Ses rivaux français, Renault et Peugeot, n'y consacraient que 17 % à 19 % de leurs chiffres d'affaires. De plus, selon certains analystes ayant étudié les méthodes d'organisation de Volkswagen, la firme produisait la plupart de ses modèles en trop petites quantités pour bénéficier d'économies d'échelle. Comme nous l'avons souligné antérieurement, Volkswagen pouvait supporter des coûts élevés seulement si les consommateurs demeuraient fidèles à son produit de qualité. Or, cette fidélité s'atténua fortement au début des années 90. Volkswagen perd, en effet, une portion importante de son marché national et international au profit de voitures japonaises fabriquées en Grande-Bretagne. La compagnie devait réagir rapidement si elle voulait demeurer compétitive, d'abord stabiliser sa part de marché et espérer reconquérir le marché perdu par la suite.

Volkswagen annonça donc qu'elle devait couper 30 000 emplois pour remédier à la situation[3]. Une mise à pied aussi massive aurait sûrement diminué les coûts élevés de la main-d'œuvre chez Volkswagen, mais on chercha d'autres moyens que les mises à pied pour deux raisons principales. Premièrement, la compagnie n'avait aucune expérience dans le licenciement et, deuxièmement, l'actionnaire majoritaire étant le Land, dans lequel Volkswagen était l'employeur le plus important, on comprendra qu'il y eut des pressions politiques pour éviter des mises à pied d'une telle ampleur. Par ailleurs, le licenciement massif était vu comme pouvant avoir des effets négatifs importants sur la productivité. En effet, avec de telles mises à pied, Volkswagen n'aurait peut-être pas été en mesure de retenir ses meilleurs employés à cause des règles régissant la confection d'un « plan social » qui stipule que l'entreprise doit protéger les travailleurs les plus âgés ainsi que ceux ayant des responsabilités

---

3. Pour une analyse récente de la semaine de 28,8 heures, voir Hartz (1994) et Peters (1994).

familiales. De plus, comme plusieurs des travailleurs âgés sont étrangers, les travailleurs allemands auraient été licenciés en premier.

Contrairement à la situation qui avait existé en 1974 et 1975, un plan de retraite anticipée ne pouvait amener une forte réduction d'effectifs, car en 1993 seulement 2,4 % des travailleurs étaient âgés de plus de 56 ans. Quant au travail à temps réduit indemnisé par l'État, il aurait été trop coûteux. Quoi qu'il en soit, les limites légales au nombre de mois consécutifs de temps réduit indemnisé fermaient cette avenue compte tenu de l'ampleur et de la durée des réductions nécessaires chez Volkswagen. La réduction de la semaine normale de travail semblait donc non seulement une solution de rechange au congédiement, mais aussi un complément au programme de temps de travail réduit indemnisé et au programme de retraite anticipée.

Après avoir réduit de quelques heures la semaine de travail et utilisé le temps de travail réduit pour une moyenne de quarante jours dans chacun des établissements, la compagnie comprit qu'il fallait aller plus loin pour atteindre ses objectifs de réduction des coûts de la main-d'œuvre. C'est pourquoi elle annonça, en août 1993, son intention d'amorcer des discussions avec le comité d'entreprise dans le but d'en arriver à une semaine de travail de quatre jours.

Le climat était très propice à de telles négociations. D'abord, comme nous l'indique le graphique 3.2, les heures de travail sont demeurées stables pendant près de quinze ans avant 1984 et ont changé très légèrement par la suite. Durant cette longue période de stabilité des heures, les salaires réels ont augmenté de façon significative. Cette situation se combinant aux expériences répétées de temps réduit a fait que les travailleurs étaient prêts à substituer une part de leur revenu pour plus de loisir. S'ajoute à cela les licenciements effectués par Mercedes Benz à l'été 1993 qui rendaient la menace de licenciement chez Volkswagen tout à fait crédible. Contrairement au cas de Bell, où initialement on fit appel à l'adhésion volontaire des travailleurs au niveau individuel, chez Volkswagen, selon la tradition, c'est le comité d'entreprise qui prit la décision pour l'ensemble des travailleurs. C'est ainsi qu'après trois mois de négociations une entente fut signée entre IG Metall et Volkswagen et fut approuvée, sans hésitation, par le comité d'entreprise.

Les principaux points de l'entente sont présentés au tableau 3.1. Par cette entente, l'entreprise a réduit ses coûts de production au niveau désiré et a accru considérablement la flexibilité des heures de travail, ce qui constituait un objectif de la négociation. Le temps supplémentaire ne commence qu'après 35 heures et même si le temps supplémentaire mensuel est limité, la direction garde une marge de manœuvre si l'utilisation de plus de 6 heures par semaine est fondée. La prime du temps supplémentaire est maintenant fixée à 30 %, contrairement à un taux flexible et variable de 35 % à 50 % qui existait avant l'entente. Non seulement elle a augmenté la flexibilité du temps de travail, mais la compagnie a aussi amélioré la mobilité du personnel entre ses différentes usines. La nouvelle entente comprend une clause de mobilité qui pourrait obliger les travailleurs à se déplacer d'une usine où les commandes sont faibles vers une usine qui nécessite davantage de main-d'œuvre. Cette possibilité de relocalisation du personnel se combinant à une plus grande flexibilité du temps de travail a permis de régler de nombreux problèmes de coordination dans les opérations de production, ce qui était conforme au désir de réorganisation du travail chez Volkswagen (Jürgens 1995).

Par cette entente, les employés bénéficiaient d'une plus grande flexibilité dans leur temps de travail annuel leur permettant même de prendre quelques mois de congé consécutifs tout en conservant leur sécurité d'emploi. Même si les travailleurs subissaient une réduction de salaire de 10 % à 16 % sur une base annuelle, leur paie mensuelle n'était pas modifiée grâce à la répartition de la paie de vacances et de la prime annuelle sur toute l'année. Finalement, le contrat avait une durée de deux ans et on avait prévu remettre en place la semaine de travail de 35 heures avec l'amélioration

TABLEAU 3.1

POINTS IMPORTANTS DE L'ENTENTE COLLECTIVE DE DÉCEMBRE 1993 ENTRE VOLKSWAGEN AG ET IG METALL

Préambule	• Les signataires de l'entente collective conviennent que l'ensemble des problèmes économiques conjoncturels et structurels de même que les changements importants dans la société nécessitent une nouvelle approche de la part des deux parties pour assurer la sécurité d'emploi. • Volkswagen et IG Metall poursuivent conjointement les mêmes objectifs soit la sécurité des emplois domestiques et la compétitivité de Volkswagen AG. Ils ont donc conclu l'entente suivante qui comprend des arrangements spéciaux portant sur les heures de travail et la rémunération. • De plus, les parties se sont mis d'accord pour prendre d'autres mesures par la suite pour stabiliser l'emploi, par exemple, dégager des périodes de temps pour la formation et pour un modèle quelconque de relais inter-générations. Les détails des modèles seront soumis aux parties de l'établissement en cause — pour approbation — lorsque l'entente collective ne sera pas affectée.
Temps de travail	• HEURES DE TRAVAIL — À partir du 1er janvier 1994, le temps de travail régulier sera de 28,8 heures par semaine en moyenne pour l'ensemble d'une année. • DISTRIBUTION DES HEURES DE TRAVAIL — Le début et la fin de la journée de travail incluant les pauses et la distribution des heures de travail hebdomadaire sur des jours de travail individuels du lundi au vendredi devront être négociés avec le comité d'entreprise. Les heures de travail hebdomadaire devraient — en principe — être réparties sur quatre jours de travail entre lundi et vendredi. La distribution sur cinq jours peut être convenue si elle est essentielle du point de vue de l'usine, moyennant l'acceptation des parties à l'entente collective.
Rémunération	• L'augmentation de salaire de 3,5 % négociée le 23 novembre 1992 et qui devait prendre effet le 1er novembre 1993 sera retardée au 1er janvier 1994. • Les salaires mensuels seront réduits de 20 % en même temps que la réduction du temps de travail hebdomadaire, c'est-à-dire le 1er janvier 1994. • La prime annuelle sera versée mensuellement. • Une part de la prime de vacances sera versée mensuellement.
Clauses additionnelles	• Afin de préserver la sécurité d'emploi, il sera peut-être nécessaire, dans l'intérêt de la compagnie, de transférer du personnel de façon permanente ou temporaire. Chaque employé sera obligé d'accepter toute activité jugée raisonnable qui lui est attribuée. Les règles et les procédures établissant ce qui est raisonnable devront être décidées par les deux parties. Dans l'évaluation de ce qu'on considère comme raisonnable, certains critères devront être pris en considération comme, par exemple, la formation et la qualification, les activités antérieures, le salaire ainsi que le lieu de résidence de la personne visée. La divergence des opinions dans l'évaluation de ce qui est raisonnable devra être tranchée par le comité responsable dans chacun des cas. • En accord avec l'entente collective, le paiement des heures supplémentaires ne sera fait qu'après une semaine excédant 35 heures. • En principe, le temps supplémentaire sera compensé par des congés payés.
Sécurité d'emploi	• Il n'y aura aucune mise à pied pour la durée de cette entente.

Source : Volkswagen (1993)

escomptée du marché de l'automobile et de celui de Volkswagen.

La philosophie de la nouvelle entente collective se voulait « un tout nouveau départ dans la gestion de ressources humaines ». La firme subventionna davantage la formation du personnel et la rémunération des employés en formation. De plus, on instaura un nouveau projet, le *Stafettenmodell [plan de relais intergénérations]*, qui augmentait graduellement les heures de travail pour les jeunes employés terminant leur apprentissage et diminuait les heures de travail des employés plus âgés juste avant la retraite. Volkswagen réussissait ainsi à atteindre ses objectifs de réduire le nombre total d'heures de travail par employé sans mises à pied, de maintenir le transfert intergénérationnel des compétences propres à la firme ou à l'usine et d'améliorer le niveau de qualification de l'ensemble de la main-d'œuvre.

La semaine de travail de 28,8 heures ne fut quand même pas implantée sans quelques difficultés. On a rapidement constaté, par exemple, que le niveau de production ne pouvait être maintenu constant si toutes les divisions et les sites réduisaient leur temps de travail de façon proportionnelle. Pour une raison technique, l'étape de la peinture nécessite un cycle d'une semaine de 5 jours, ce qui força d'autres secteurs de production à passer, eux aussi, à une semaine de 5 jours pour assurer une alimentation régulière de l'activité peinture. Avec la reprise de la demande automobile, ce genre de problèmes augmenta même si la mobilité entre les sites accroissait la flexibilité dans le processus de production. Il devint évident qu'un remaniement des horaires de travail était essentiel.

La semaine de 28,8 heures apportait de nouveaux défis dans la planification d'horaires, et le comité d'entreprise joua un rôle important dans l'implantation et l'administration des nouvelles grilles horaires. À l'usine de Wolfsburg, où les horaires variaient peu avant l'entente, on trouve depuis janvier 1995 plus de 150 horaires de travail satisfaisant au mieux les préférences et les intérêts des travailleurs et de la direction. Les répartitions des heures de Volkswagen incluent des combinaisons multiples de différentes heures par jour, différents jours par semaine et différents jours par mois. Un employé travaillant 5,76 heures par jour, 5 jours par semaine, peut avoir un collègue sur une chaîne de montage travaillant 7,2 heures par jour, 4 jours par semaine. La combinaison d'une semaine de travail réduite et de la plus grande flexibilité des heures de travail donna à l'entreprise la capacité d'adopter de nouveaux plans de production. C'est ainsi que Volkswagen a pu mettre en place un système de production à la japonaise [élimination des rejets et réduction des inventaires] tout en maintenant son système traditionnel de production et son engagement à fournir un produit de haute qualité.

La semaine de travail de 28,8 heures : résultats et négociations futurs

À la suite de la modification de la semaine de travail, la productivité à l'usine Volkswagen de Wolfsburg, qui regroupe quelque 60 000 employés, s'est accrue entre 5 % et 8 % tandis que l'absentéisme a chuté, passant d'un taux de plus de 10 % en 1993 à environ 7 % en 1994[4]. Il existe d'autres indications du succès de la semaine de travail de 28,8 heures. On se rappelle que l'entente collective originale signée en décembre 1993 était temporaire et qu'à son échéance l'entreprise devait retourner à une semaine de travail de 35 heures. Mais la nouvelle entente de décembre 1995 maintient la semaine de 28,8 heures. Les deux parties ont obtenu certains avantages de cette nouvelle entente. Ainsi, les salaires des travailleurs ont été augmentés de 4 % et leur sécurité d'emploi est assurée pour la durée de la nouvelle entente. En contrepartie, l'entreprise a obtenu une plus grande flexibilité des horaires de travail. Les employés peuvent travailler jusqu'à 38,8 heures par semaine et le temps supplémentaire est réparti sur toute l'année. De

---

4. Ces données nous ont été fournies par la direction de Volkswagen lors d'une rencontre en juin 1995.

plus, les employés peuvent être appelés à travailler jusqu'à douze samedis pendant l'année. Volkswagen dit que cette nouvelle entente longuement et durement négociée est le premier pas vers une « entreprise ouverte et flexible ».

Conclusion

À ce jour, le programme de partage de l'emploi mis en place chez Volkswagen s'avère un succès. En effet, non seulement on a pu éviter les mises à pied mais on a, en plus, profité du programme pour réaménager en profondeur le temps et l'organisation du travail. C'était une condition *sine qua non* à la conciliation d'une réduction du temps de travail avec une augmentation de la productivité, essentielle à la défense des parts de marché de Volkswagen et donc tout aussi essentiel au maintien à terme d'un certain nombre d'emplois.

Il faut retenir de ce cas que le succès s'explique par deux grands facteurs. D'abord, les expériences passées de réduction du temps de travail pour stabiliser l'emploi ont très bien préparé les travailleurs et l'employeur à l'implantation d'un programme d'envergure de partage de l'emploi. Ensuite, dans la tradition allemande, les travailleurs acceptent que l'aménagement du temps de travail relève d'un comité où ils sont représentés et que des décisions aussi importantes qu'une réduction de 20 % du temps de travail avec réduction proportionnelle du revenu peuvent être prises par ce comité. C'est une dynamique complètement différente de la dynamique nord-américaine régie par des conventions collectives ou des contrats explicites ou implicites de travail garantissant aux travailleurs « permanents » non seulement la sécurité d'emploi, mais aussi une semaine normale de travail et le revenu qui en découle.

On se doit de souligner que le programme de partage de l'emploi de Volkswagen est tout à fait exceptionnel, même en Allemagne. En effet, la réduction du temps de travail a toujours été utilisée sur une base temporaire pour stabiliser l'emploi lors d'une baisse de court terme de la production. Dans tous les cas, on revient généralement dans un délai relativement court à la semaine normale et au plein salaire. Dans la première entente Volkswagen, la durée de la réduction du temps de travail était déjà anormalement longue. La deuxième entente la prolonge de 2 ans. Comme on le verra au chapitre 5, un sondage fait auprès des travailleurs à la fin de la première entente nous porte à croire qu'un certain nombre de problèmes s'accumulent actuellement et pourront éventuellement remettre en cause la formule.

En somme, ne concluons pas trop vite que le cas Volkswagen est un modèle susceptible d'être généralisé. Les deux chapitres qui suivent vont précisément nous permettre de relativiser les cas particuliers de Bell et de Volkswagen en situant le problème du partage de l'emploi à un niveau plus général.

Chapitre 4

L'emploi et le partage
de l'emploi

Dans le présent chapitre, nous allons faire le point sur l'utilisation du partage de l'emploi comme modalité de stabilisation ou de création d'emplois dans des contextes institutionnels et juridiques découlant de l'histoire de chacun des pays et en tenant compte des expériences passées des travailleurs et des entreprises quant à l'aménagement du temps de travail. Cette situation n'est toutefois pas immuable et c'est pourquoi il faudra se demander ce qu'il advient des processus d'apprentissage qui ont conduit à la situation que l'on connaît en Europe et s'ils pourraient être adaptés à notre contexte nord-américain. Ce deuxième volet de l'incidence possible du partage de l'emploi sur l'emploi sera examiné au chapitre suivant. On devra toutefois garder à l'esprit qu'une vision à plus long terme sera présentée à la suite du présent chapitre.

Dans toute cette question du partage de l'emploi, il est important de distinguer trois cas de figure pour mieux comprendre les enjeux d'une telle approche et éviter les débats stériles. Il y a d'abord un certain partage de l'emploi qui chercherait à stabiliser l'emploi durant les baisses cycliques de la demande de biens et de services. Il s'agit, dans ce cas, d'effectuer les ajustements de la production davantage par les heures de travail, tantôt à la baisse, tantôt à la hausse, que par le nombre d'employés. Il y a aussi, dans nos économies, des modifications structurelles majeures impliquant des baisses d'emploi graduelles et définitives dans certains secteurs industriels et des développements dans des secteurs nouveaux. Pour amoindrir le choc de la transition, on applique dans certains pays une politique de partage de l'emploi que l'on qualifie de « parachute ». Enfin, lorsque le chômage est non seulement élevé mais aussi persistant, comme nous l'avons vu antérieurement, on a souvent préconisé la réglementation des heures de travail, des heures supplémentaires, des congés et des vacances pour partager l'emploi et réduire le chômage.

Nous allons, dans ce qui va suivre, examiner successivement chacun de ces cas de figure pour mieux comprendre les logiques sous-jacentes à de telles politiques et pour évaluer non seulement leur potentiel de création d'emploi, mais aussi leurs incidences sur la productivité et ultimement sur la croissance économique.

Variations cycliques de la demande de travail et stabilisation de l'emploi

Traditionnellement, les pays industrialisés qui, comme l'Allemagne, pratiquaient régulièrement le partage de l'emploi, le faisaient en réponse à des variations cycliques et donc temporaires de la demande de travail. Ce n'est que tout récemment, comme on le verra plus loin, qu'on se servit du partage de l'emploi pour atténuer les effets de modifications structurelles dans l'économie.

La question de la stabilisation de l'emploi face aux variations cycliques est abordée à partir de trois constats.

Les variations cycliques de la demande

Il y a, dans la très grande majorité des secteurs industriels, des variations cycliques de la demande nécessitant des variations corres-

pondantes de la production afin d'éviter une augmentation déme-
surée des stocks. Ces variations cycliques sont d'intensité variable
dans le temps et selon les industries, mais elles ont une caracté-
ristique relativement stable, à savoir qu'une baisse de la demande
est généralement suivie d'une hausse qui rétablit la demande au
moins à son niveau antérieur et donc exige un retour au niveau de
production et, en principe, d'emploi de départ.

Les coûts pour l'individu d'une perte d'emploi

La personne qui perd son emploi est susceptible d'encourir des
coûts qui dépassent largement ceux de ses pertes strictement
salariales. Le chômage, dans la mesure où il se prolonge, peut
réduire la qualité et l'intensité du capital humain de la personne
mise à pied, diminuant rapidement son employabilité et donc sa
probabilité d'être réintégrée dans un emploi équivalent à celui qu'il
a perdu. De plus, les périodes d'insécurité qu'engendre le chômage
provoquent chez les individus un stress considérable affectant leur
santé, leurs relations familiales et leurs relations sociales. De plus en
plus d'études explicitent ces coûts indirects du chômage, et l'évaluation qui a été faite récemment du programme canadien du partage
de l'emploi confirme l'importance de ces coûts pour les chômeurs
et pour la société [Emploi et Immigration Canada 1993a].

Les coûts de mises à pied pour l'entreprise

Les mises à pied occasionnent aux entreprises les coûts directs
des compensations prévues aux contrats de travail, des coûts de
réembauche, le cas échéant, et des coûts reliés à la perte possible de
l'investissement spécifique fait dans la formation d'un travailleur si
ce dernier se trouve un autre emploi et n'est plus disponible pour
être réembauché. Diverses évaluations de ces coûts ont été faites et
certaines ont été recensées dans un rapport récent sur la réduction
et l'aménagement du temps de travail. « Une étude du Ministère du

travail de l'Ontario, réalisée en 1981, évaluait l'ensemble des coûts de remplacement de la main-d'œuvre à 12 500$ [dollars de 1994], en moyenne par travailleur. En 1989, le *Conference Board du Canada* évaluait à 93 % du salaire de la première année le coût d'embauche et de formation d'un nouvel employé. Une étude américaine nous dresse un tableau plus nuancé. Le coût d'embauche d'un ouvrier non spécialisé serait évalué à un mois de salaire, celui d'un ouvrier spécialisé à trois mois et celui d'un employé de bureau à 700$ U.S. »[1]

Par ailleurs, dans l'évaluation qui a été faite du programme canadien de partage de l'emploi, on a évalué que les entreprises qui avaient appliqué un programme de partage de l'emploi plutôt que d'effectuer des mises à pied avaient réalisé un gain variant de 800$ à 1 800$ par mise à pied évitée (Emploi et Immigration Canada, 1993a, p. 21).

Il est aussi évident que l'ampleur de ces coûts et de ces bénéfices est étroitement reliée au niveau de qualification et d'expérience spécifique de la main-d'œuvre en cause.

Compte tenu de ces trois constats, travailleurs et employeurs ne gagneraient-ils pas à adopter un système de modulation des heures travaillées par l'ensemble des travailleurs lors d'une baisse cyclique de la demande plutôt que de réduire la capacité de production par des mises à pied sélectives d'un certain nombre de travailleurs ? On partagerait ainsi sur l'ensemble des travailleurs les coûts des variations cycliques dans la demande de travail. Cette approche a davantage été adoptée dans certains pays européens mais fort peu en Amérique du Nord. Pourquoi ne s'est-elle pas davantage généralisée dans les pays industrialisés ? Pour répondre à ces questions, nous devons examiner un ensemble de facteurs économiques et institutionnels.

Une entreprise peut voir la demande pour son ou ses produits diminuer pour trois raisons fort différentes : 1. il peut s'agir d'une

---

1. Gouvernement du Québec (1996, p. 16).

baisse strictement conjoncturelle et affectant l'ensemble des entreprises d'une économie ; 2. cette baisse peut être imputable à un changement structurel annonçant la réduction graduelle d'un secteur industriel ; 3. enfin, une entreprise peut voir la demande pour ses produits baisser parce qu'elle est, elle-même, de moins en moins concurrentielle. Par ailleurs, malgré une stabilité ou même une croissance de la demande de ses produits, une entreprise, profitant des progrès techniques et se devant d'en profiter pour demeurer concurrentielle, verra ses besoins de main-d'œuvre diminuer graduellement.

Nous ne nous pencherons, dans la présente section, que sur le premier type de variations de la demande de travail.

Une première difficulté que l'on doit souligner provient du diagnostic qui doit être fait des causes d'une baisse de la demande des produits d'une entreprise. Au départ, l'entreprise doit tenter de trouver si cette baisse lui est propre ou si elle est conjoncturelle. Si la baisse est jugée conjoncturelle, quelle sera son ampleur et sa durée ? Les ajustements seront fort différents selon les réponses que l'entreprise donnera à ces questions. Au fur et à mesure que le temps passe, on peut évaluer de mieux en mieux la nature de la baisse et en apprécier l'intensité et la durée.

Par ailleurs, le type d'ajustement de la production dépendra non seulement du diagnostic posé sur la baisse de la demande, mais aussi des caractéristiques techniques des modes de production. Dans certains cas, la solution la moins onéreuse consistera à cesser toute production jusqu'au moment où le niveau des stocks exige une reprise pour satisfaire la demande courante. Dans d'autres cas, une simple diminution de la cadence ou la suppression d'un quart de travail seront les solutions les plus économiques. Enfin, pour les entreprises à multiples établissements, il pourra être efficace de cesser toute production dans un ou quelques établissements jusqu'au moment de la reprise. Il faut donc accepter qu'indépendamment de l'environnement institutionnel et légal avec lequel les entreprises doivent composer, les conditions d'arbitrage entre la réduction des heures et les mises à pied pour diminuer la production seront fort différentes selon les secteurs industriels et selon les modes de production de chacune des entreprises dans ces différents secteurs. En d'autres mots, la substituabilité entre la diminution des heures travaillées et la réduction du nombre de travailleurs est loin d'être parfaite et varie grandement selon les types de produits et les modes de production. C'est pourquoi, même dans ces pays industrialisés où l'on utilise le partage de l'emploi, on trouve que l'ajustement de la demande de travail à celle de la production se fait toujours par une combinaison de variation des heures de travail et du nombre d'employés. Il demeure, toutefois, que dans certains pays industrialisés d'Europe, le poids de l'ajustement par les heures dans la variation totale de la demande de travail est systématiquement plus élevé que ce n'est le cas aux États-Unis et au Canada. En conséquence, pour une baisse donnée de la production, on trouvera dans ces pays européens moins de mises à pied et donc une variation moins grande du chômage, le tout étant compensé par une baisse plus forte et généralisée des heures travaillées. Comment peut-on expliquer ces différences ?

Nous avons, dans les chapitres précédents, montré à quel point les expériences passées et répétées façonnent les institutions, les lois et les comportements tant et si bien qu'à un moment donné du temps les économies des pays industrialisés et leur marché du travail auront leur mode particulier d'ajustement aux perturbations économiques. Pour chaque pays, ce mode sera devenu le plus efficace compte tenu des expériences passées et des contraintes que posent les institutions, les lois et les contrats qui régissent les relations entre les agents économiques.

À cet égard, ce n'est pas par hasard si l'on a en Italie, en Suède, en Allemagne, etc., une utilisation plus importante que dans d'autres pays de la variation des heures de travail pour moduler la production. En effet, ce sont dans ces pays que l'on trouve, d'une part, les contraintes les plus fortes et les coûts les plus élevés pour les mises à pied et, d'autre part, les compensations les plus généreuses pour le chômage partiel. Le tableau qui suit illustre bien la situation dans dix pays de l'OCDE.

TABLEAU 4.1

COMPENSATION POUR CHÔMAGE PARTIEL ET CONTRAINTES SUR LES MISES À PIED DANS DIX PAYS DE L'OCDE

Contraintes sur les mises à pied	Compensation pour chômage partiel		
	Aucune	*Moyenne*	*Généreuse*
AUCUNE	États-Unis		Japon
PEU	Canada & Grande-Bretagne	Danemark	Belgique
NOMBREUSES		France & Allemagne	Italie & Suède

Source : Van Andenrode (1994, p. 81).

Pour ce qui est des contraintes sur les mises à pied, nous compléterons le tableau qui précède en détaillant davantage le cas de l'Allemagne et des États-Unis[2]. En Allemagne, l'obligation de préavis avant des mises à pied date de 1920 et, de nos jours, ces périodes de préavis vont de deux semaines à six mois selon les catégories de travailleurs et leur ancienneté. De plus, dans chaque entreprise allemande, il y a un comité d'entreprise regroupant des travailleurs élus qui ont des pouvoirs importants, particulièrement dans le cas de mises à pied. D'abord, ce comité doit être informé douze mois à l'avance de toute réduction prévue de la main-d'œuvre. Ensuite, lors de mises à pied collectives, l'entreprise doit négocier avec le comité d'entreprise un « plan social » stipulant les compensations qui seront versées aux travailleurs mis à pied. Si les parties ne réussissent pas à s'entendre, la loi prévoit un mécanisme d'arbitrage avec

---

2. Pour plus de détails, on se référera à Houseman et Abraham (1994).

sentence exécutoire. Le coût de ces ententes varie entre 15 et 25 semaines au salaire moyen des cols bleus. En comparaison, aux États-Unis, avant 1988, les préavis de licenciement n'étaient légalement requis que dans trois États. Depuis 1989, une loi exige que les travailleurs et les gouvernements soient informés 60 jours à l'avance de mises à pied massives ou de la fermeture d'un établissement. Mais l'entreprise n'a aucune obligation de consulter les travailleurs ou de payer une compensation aux travailleurs licenciés. Qui plus est, une étude récente du *General Accounting Office (1993)* montre que les trois quarts des compagnies ayant fait des mises à pied d'une ampleur suffisante pour être régies par la loi n'avaient émis aucun avis ou l'avaient fait dans un délai inférieur aux 60 jours requis. Ce qui suggère le peu d'effet de la loi sur le comportement des entreprises. Enfin, même s'il n'y a pas aux États-Unis de compensation obligatoire lors de licenciements, l'entreprise supporte un coût du fait que les contributions d'une entreprise au financement du régime d'assurance-chômage dépend partiellement des mises à pied qu'elle a faites antérieurement — *experience rating*. On a toutefois estimé que le coût équivalait à quelque trois semaines de salaire. Ce qui est fort loin des 15 à 25 semaines découlant du « plan social » allemand.

On comprendra facilement qu'une entreprise allemande est, à toutes fins utiles, incapable d'ajuster à court terme sa production par des mises à pied massives. D'abord, elle aurait dû prévoir une année à l'avance cette baisse de production et ensuite négocier, avec le comité d'entreprise, une entente dont les coûts sont fort élevés. Si donc la baisse de la production est temporaire, l'ajustement sera beaucoup plus rapide et moins coûteux s'il est fait par la réduction des heures de travail. Et c'est précisément la voie choisie par les entreprises allemandes. À l'appui de cette conclusion, citons deux experts allemands du temps de travail réduit (Mosley et Kruppe 1995, p. 3) : « *In more densily regulated European Labour markets an important function of short- time work programs is to provide a flexibility option for employers. Typically, the existence of more stringent employment protection regulations makes the use of redundancies (i.e. lay offs) too expensive and too slow as an instrument for short-term labour force adjustment. In effect by restricting, on the one hand, external flexibility and providing a short-time work option, on the other, public policy promotes retention of employees and choice of compensating internal forms of flexibility* ».

Au Canada, comme aux États-Unis, les gouvernements se sont très peu immiscés dans les modes d'ajustement de l'emploi aux variations de la production. Ce sont d'abord et avant tout les contrats collectifs de travail négociés entre employeurs et syndicats qui ont établi ces modes d'ajustement qui furent, par la suite, régulièrement imités dans les secteurs peu ou pas syndiqués. Ces contrats collectifs sont conclus au niveau de l'entreprise et surtout comprennent généralement une clause de sécurité d'emploi du type *last in first out* impliquant que l'ajustement de la production, lorsque requis, doit se faire par des mises à pied s'appliquant à des catégories de travailleurs prédéterminés et par un mode de réorganisation du travail des travailleurs restant en emploi relativement bien circonscrit. Pour ces travailleurs syndiqués, particulièrement ceux qui ont une certaine ancienneté, cette sécurité d'emploi est un droit acquis incompatible avec une application généralisée de la modulation des heures de travail. Même dans les secteurs non syndiqués, il n'est pas rare de trouver les mêmes règles. C'est que ce genre de contrats peut aussi être intéressant pour l'entreprise puisque, d'une part, il incite le travailleur à bien performer pour se maintenir en emploi et acquérir cette ancienneté réduisant la probabilité d'être mis à pied et, d'autre part, il diminue la rentabilité de la mobilité du travailleur ayant acquis la sécurité d'emploi, atténuant du fait le risque pour l'entreprise de perdre l'investissement en capital humain qu'elle a fait dans le travailleur. On comprendra, dès lors, qu'une modalité d'ajustement de la capacité de production qui remet en cause une structure du contrat bien ancrée et ayant des avantages considérables pour les entreprises et la majorité des travailleurs peut rencontrer beaucoup d'obstacles et de réticence. En effet, dans ce genre de contrat, l'employé acquiert d'abord la permanence d'emploi après une période de probation plus ou moins longue et graduellement, au fur et à mesure que son ancienneté augmente, sa sécurité d'emploi s'accroît. Cette sécurité d'emploi, acquise avec le temps, garantit bien sur l'emploi, mais aussi sur un nombre d'heures normales de travail et le revenu qui en découle. Dans ces conditions, demander à l'employé de réduire ses heures de travail et son revenu pour maintenir l'emploi d'autres employés remet en cause les privilèges qu'il avait acquis par son ancienneté. Donc, c'est la remise en cause partielle du principe de l'ancienneté et des avantages qui en découlent.

Ceci est fort différent du cas de l'Allemagne que nous avons vu antérieurement. Dans ce pays, s'il y a un lien entre l'ancienneté et la sécurité d'emploi, ce lien ne s'étend pas jusqu'aux heures normales travaillées et au revenu qui en découle. L'aménagement du temps de travail relève du comité d'entreprise de la compagnie qui décide des modulations appropriées du temps de travail qui seront imposées à tous les employés.

On peut comprendre dès lors le peu de succès qu'on connu les programmes de partage de l'emploi mis sur pied par divers États américains, et le succès très relatif du programme canadien. D'une part, dans les deux pays, les entreprises ont peu ou pas de contraintes sur les mises à pied autres que celles résultant, le cas échéant, de leur contrat de travail et, d'autre part, la majorité des travailleurs ont peu d'intérêt à sacrifier une partie des privilèges que leur confère leur ancienneté.

En somme, la mise en œuvre d'un système peu généreux de compensation pour le chômage partiel dans un environnement institutionnel et légal peu contraignant sur les mises à pied ne modifiera pas significativement les modes d'ajustement de la demande de travail des entreprises. C'est la conclusion à laquelle arrive Van Audenrode (1994, p. 98) après avoir réalisé une remarquable étude empirique sur dix pays de l'OCDE : « *Countries with the most generous STC [Short Time Compensation] programs have large and quick time responses to variations in the need for labor. In those countries, overall labor adjustments end up being as flexible as in the United-States because working time adjustments compensate for restrictions on firings. Less generous STC programs do not produce such dramatic effects* ».

Le programme canadien de partage de l'emploi s'est inscrit au départ dans cette volonté de limiter les mises à pied en période de basse conjoncture en faisant davantage varier les heures travaillées. Ce programme débuta en 1977 à titre d'expérience pilote. La loi de l'assurance-chômage fut modifiée pour permettre le versement de prestations au prorata du temps chômé. Ce programme prit fin en 1979 et fut réintroduit en 1982. L'employeur qui veut participer à ce programme doit remplir certaines conditions, comme être en activité depuis au moins deux ans, démontrer que le besoin de réduire la production est inévitable, être en mesure de revenir à la production normale à la fin de la période du partage de l'emploi, établir que l'employeur et les employés sont d'accord pour mettre en place un programme de partage de l'emploi, etc.

Ainsi, s'il respecte les normes du programme, un employeur qui a l'intention de mettre à pied 20 % de ses employés pour une période de trois mois pourra plutôt réduire le temps de travail de l'ensemble de ses employés de 20 % au cours des mêmes trois mois. La perte de salaire découlant de cette baisse des heures travaillées subie par les travailleurs sera partiellement compensée (quelque 60 %) par les bénéfices de l'assurance-chômage. De plus, les avantages sociaux dont bénéficient les employés doivent être maintenus par l'employeur pour la durée de l'entente sur le partage de l'emploi.

Pour les raisons que nous avons mentionnées précédemment, ce programme a eu un succès très relatif. Bien sûr, il a permis de réduire les mises à pied. C'est ainsi que lors de l'évaluation récente du programme on estima qu'au mieux, pour les années 1989 et 1990, le programme avait permis d'éviter de façon nette 43 200 mises à pied. Par ailleurs, comme le montre bien une étude récente (Siedule, Guest et Wong 1996) le programme canadien a vraiment un caractère cyclique en ce sens que le nombre d'ententes varie avec la variation de l'emploi et donc avec celle du chômage. C'est ainsi que le nombre d'applications approuvées fut de 8 780 en 1982, descendit à 1 802 en 1989 et remonta a 10 929 en 1991. Enfin, du point de vue des coûts pour la caisse d'assurance-chômage, on a calculé que, par unité de temps chômé, le programme de partage de l'emploi coûtait à la caisse 33 % de plus que la solution des mises à pied. C'est une différence qui n'est pas négligeable surtout si l'on considère que le programme canadien est moins généreux que bon nombre de programmes que l'on trouve dans des pays européens.

Par ailleurs, lorsque nous examinons les caractéristiques des entreprises qui ont participé au programme, elles sont très révélatrices des contraintes de réorganisations et de celles que peuvent poser les contrats de travail. Les données des tableaux 4.2 et 4.3 proviennent d'une enquête faite par Emploi et Immigration Canada en 1992 auprès de 953 entreprises ayant participé au programme canadien de partage de l'emploi au cours de 1989 ou 1990. Le taux de participation à cette enquête fut de 89 %. Les données tirées de cette enquête sont donc représentatives de la population des entreprises ayant participé au programme en 1989 ou 1990.

TABLEAU 4.2

CARACTÉRISTIQUES DES ENTREPRISES AYANT PARTICIPÉ
AU PROGRAMME CANADIEN DU PARTAGE DE L'EMPLOI

• Nombre moyen d'employés à temps plein	127,7
• Nombre moyen d'employés ayant participé au programme	30,3
• Taux moyen de syndicalisation des entreprises	13,7 %
• Nombre moyen de semaines de participation au programme	21,6

Sources : Survey of Participating Employers. Program Evaluation, Strategic Policy and Planning. Employment and Immigration Canada, 1993.

On constate d'abord que ce sont essentiellement de petites et moyennes entreprises qui ont participé au programme et que dans ces entreprises le nombre moyen d'employés faisant partie du programme s'élevait à 30. On est bien loin des problèmes de réorganisation que posaient les programmes de Bell Canada et Volkswagen qui touchaient des dizaines de milliers d'employés. Donc, dans le contexte canadien, le manque d'expérience dans l'aménagement du temps de travail et la complexité des réorganisations dans les grandes entreprises ont sûrement limité leur participation à ce programme. Il faut aussi remarquer que les entreprises participantes se concentrent presque exclusivement dans les secteurs manufacturiers et de la vente, qui ne constituent que 33,9 % de l'économie.

Comme nous le révèle le tableau 4.3, le faible taux de syndicalisation au sein des entreprises participantes est une autre caracté-

TABLEAU 4.3

Répartition sectorielle des entreprises participant au programme canadien du partage de l'emploi

Secteur industriel	Répartition en % des entreprises participantes	Taux moyen de syndicalisation dans ces secteurs industriels
1. Primaire	2,3	51,4
2. Minier	1,7	30,5
3. Manufacturier	49,3	41,2
4. Construction	7,7	67,9
5. Transport	1,4	55,3
6. Services publics	0,3	58,0
7. Vente	25,2	13,1
8. Finance, assurance	1,3	3,3
9. Services commerciaux	5,7	4,4
10. Gouvernemental	0,2	82,9
11. Éducation, santé	1,3	69,4
12. Restauration	1,1	10,5
13. Autres services	2,5	21,1

Sources : Work Sharing Administrative Data Base du Work Sharing Evaluation Technical Report, 1993. Rapport annuel du ministre de l'Industrie, des Sciences et de la Technologie, partie II, Syndicat 1990. Statistique Canada, 1990.

ristique qui n'est pas sans intérêt. Alors que dans les secteurs d'où proviennent la majorité des entreprises, le taux de syndicalisation varie entre 13,1 % et 41,2 %, il se situe en moyenne à 13,7 % dans le groupe des entreprises participantes.

Les conventions collectives qui existent dans le secteur manufacturier en particulier n'ont pas été conçues dans un contexte de partage de l'emploi et deviennent donc, en un certain sens, une contrainte à l'utilisation de la réduction généralisée des heures de travail pour diminuer la production tout en maintenant le niveau d'emploi.

Enfin, les données sur les variations de la production, que l'on peut tirer de cette enquête, nous montrent bien que le programme s'adresse à des entreprises qui connaissent une diminution temporaire de la production et qui anticipent un retour au niveau de production passé à brève échéance, c'est-à-dire à l'intérieur de 21,6 semaines comme nous le révèle la durée moyenne des ententes.

Changements structurels et partage de l'emploi

De tout temps, les économies ont connu des changements structurels majeurs provenant surtout d'innovations techniques et organisationnelles d'envergure. Ce fut le cas, entre autres, lors de l'avènement du moteur à vapeur, puis de l'électricité, puis de l'ordinateur avec ses multiples développements autant dans le *hardware* que dans le *software*. Ces progrès entraînent inévitablement le déclin et même la disparition de certaines industries, la restructuration en profondeur d'autres industries et surtout la naissance de secteurs industriels nouveaux. La structure et la composition du marché du travail en sont rapidement et souvent profondément affectées. Des spécialisations deviennent moins en demande et peuvent même disparaître, des qualifications nouvelles sont requises, les lieux de conception et de production des nouveaux biens et services ne sont pas nécessairement ceux où s'étaient développées les anciennes industries, etc.

Ces mutations, qui connaissent des périodes d'accélération mais demeurent toujours présentes dans la dynamique d'une économie, occasionnent un roulement plus ou moins rapide de la main-d'œuvre. Des travailleurs doivent changer d'emploi, souvent d'entreprise et même de secteurs industriels. Les nouveaux emplois qu'ils trouvent, après un délai plus ou moins long, peuvent exiger une nouvelle qualification, un changement de résidence et une modification de leur niveau de vie. Il ne s'agit donc plus ici, comme à la section précédente, de variations temporaires dans la demande de travail avec un retour au niveau d'emploi de départ. Il s'agit, comme nous l'avons dit, d'une modification dans la composition et la structure même de la demande de travail, impliquant que les emplois perdus le sont généralement définitivement.

Depuis les années 70, certains pays européens commencèrent à utiliser la réduction du temps de travail indemnisée pour amoindrir les effets sur le marché du travail des mutations structurelles. Comme le décrivent bien Mosley et Kruppe (1995), c'est l'Italie qui développa la première et de la façon la plus poussée ce genre de politiques. C'est ainsi que la « *Cassa Integrazione Guadagni Straordinari* (CIG-S) » (le fonds de compensation salariale pour intervention extraordinaire) accorde des compensations salariales durant les périodes de difficultés économiques prolongées vécues par des entreprises ou des secteurs en période de restructuration. Cette compensation s'élève à 80 % du salaire brut pour tout employé ayant été en emploi au moins 90 jours, et peut durer une période de deux ans avec la possibilité d'être augmentée à quatre ans. Ce programme s'ajoute évidemment à celui compensant pour les baisses temporaires de la demande de travail.

L'Allemagne qui, en plus de son programme de court terme, avait un programme tout à fait particulier pour des industries individuelles subissant des déclins ou des transformations majeures (charbon et acier) vit l'exception devenir la règle lorsqu'elle fit face à la restructuration industrielle requise dans l'ex-Allemagne de l'Est à la suite de la réunification de l'Allemagne. Le temps de travail réduit indemnisé pour amoindrir le choc de cette restructuration d'une partie de l'Allemagne devint de plus en plus important et dépassa même les sommets établis par l'Italie en 1990-1991.

Ce n'est qu'en 1993 que la France mit en place un programme subventionnant la réduction du temps de travail pour amoindrir les réductions d'emplois découlant de changements structurels. Il s'agit du programme TRILD (temps réduit indemnisé de longue durée). Ce programme vise à aider les entreprises engagées dans un processus de restructuration prolongé. Les employés affectés par la réduction du temps de travail reçoivent quelque 50 % de leur salaire horaire brut antérieur pour un maximum de 1 200 heures s'étalant sur une période de 12 à 18 mois. De tels programmes n'existent pas au Canada et aux États-Unis. Le programme de partage de l'emploi du Canada, comme nous l'avons vu antérieurement, vise exclusivement à stabiliser l'emploi lors de baisse temporaire de la demande de travail, et les perspectives d'un retour à la normale sont un des critères d'acceptation des demandes dans le cadre de ce programme. De toute évidence, il ne se prête pas à des interventions pour atténuer des chocs structurels.

Que peut-on retenir de ce bref survol de programmes de partage de l'emploi en situation de mutations structurelles ?

D'abord, la généralisation de tels programmes dans un certain nombre de pays européens est récente et visait essentiellement à ralentir la croissance d'un taux de chômage persistant et déjà élevé ou encore, dans le cas de l'Allemagne, à corriger des erreurs de prévisions quant à l'impact de la réunification de ce pays. Ensuite, nous constatons, à l'instar de Mosley et Kruppe (1995), que très peu d'études rigoureuses et complètes ont été menées afin d'évaluer l'impact de tels programmes sur les travailleurs eux-mêmes, les entreprises et le marché du travail dans son ensemble. Enfin, avant de transposer de tels programmes en Amérique du Nord, il faudrait se rappeler le succès relatif des programmes de partage de l'emploi pour stabiliser à court terme l'emploi face à une baisse temporaire de la production.

Alors que ces derniers programmes ont une logique sous-jacente intéressante, on ne peut en dire autant des programmes de partage de l'emploi visant à atténuer les répercussions de modifications structurelles. En effet, les mutations industrielles exigent généralement un recyclage et une mobilité autant industrielle qu'occupationnelle d'une proportion plus ou moins importante de la main-d'œuvre. On peut raisonnablement se demander si, dans ce contexte, les programmes de temps de travail réduit indemnisé ne font pas que reculer à grands frais une échéance inéluctable. On peut même se demander si ces programmes, qui devront favoriser un investissement plus intensif, d'une part, des travailleurs dans leur « employabilité » future et, d'autre part, des entreprises dans une réorientation susceptible d'accroître leur capacité concurrentielle, le font vraiment. À notre connaissance, la seule étude rigoureuse qui a tenté de répondre à ces questions est celle faite lors de l'évaluation du programme canadien de partage de l'emploi. Un certain nombre d'entreprises qui ont participé à ce programme se devaient de répondre à des problèmes structurels importants. On se doit de citer la conclusion de cette étude : « *This review reinforce the hypothesis that work sharing fits into a general philosophy of a more conservative « Stay On Course » type of strategy which is inappropriate for the kinds of challenges that many of these firms are indeed encountering. Only five of 150 plan examined seriously issues which could be considered viable response to structural change (for example, a consideration of new products, new technologies, fundamentaly new markets, etc.) Most of the plans were simply looking at a continuation of the statu quo with minor revisions... Further evidence of poor structural adaptation is the training failure of the program. Only three per cent of firms used training during the Work Sharing agreement. This is simply unacceptable in light of the recognized importance of skill investment on the current economy* ». (Emploi et Immigration Canada, 1993a, p. 32).

Réduction du chômage par le partage de l'emploi

Comme nous l'avons souligné en introduction à ce chapitre, à chacune des époques contemporaines où le chômage fut non seulement élevé et persistant, mais où les perspectives de sa réduction dans un proche avenir étaient réduites, des groupes préconisèrent le partage des emplois existants pour réduire le chômage. Il faut bien comprendre la différence majeure entre les politiques préconisées ici et celles que nous avons discutées aux deux sections précédentes. Les politiques que nous avons analysées précédemment cherchaient essentiellement à réduire les mises à pied de travailleurs déjà à l'emploi des entreprises. Dans la présente section, les politiques étudiées cherchent à réduire le temps de travail de ceux qui ont déjà un emploi pour embaucher des travailleurs qui sont en chômage. Il s'agit donc de faire entrer dans les entreprises des travailleurs qui n'y étaient pas.

La réduction du temps de travail pour favoriser l'embauche peut prendre diverses formes et être d'ampleurs variables. En effet, il peut s'agir de retraites graduelles ou anticipées pour les travailleurs d'un certain âge et ayant accumulé un bon nombre d'années de service ; il peut s'agir de congés d'étude, de perfectionnement ou de ressourcement pour d'autres travailleurs ; cette réduction peut enfin consister en une diminution du nombre d'heures hebdomadaires travaillées et en une augmentation du nombre de journées de congé par année. Les programmes de partage de l'emploi peuvent faire appel simultanément à l'ensemble de ces modalités de réduction du temps de travail des travailleurs en emploi.

Au début des années 80, un grand nombre d'économistes, principalement européens, ont étudié l'incidence qu'aurait l'imposition d'une semaine de travail légale plus courte sur l'emploi, et cela, selon diverses modalités de réglementation quant aux heures supplémentaires et à la prime qui lui est rattachée[3]. La quasi-totalité

---

3. Best (1990) ; Booth and Schiantarelli (1987) ; Brunello (1989) ; Cahuc et Granier (1994) ; Calmfors (1985) ; Drèze (1986) ; Fortin (1989) ; Fuchs et Jacobsen (1991) ; Gray (1993) ; Hoel (1986) ; Stemberger (1991).

de ces études arrive à des résultats fort peu encourageants quant à l'impact d'une réglementation des heures de travail sur l'emploi. Au mieux, les résultats sont ambigus ou, pour certaines hypothèses, prévoient une faible augmentation de l'emploi à long terme. Au pire, ces réglementations peuvent aboutir à l'effet contraire de celui recherché, à savoir une baisse de l'emploi.

Les études empiriques, elles, sont de deux types différents : celles qui tentent d'estimer l'impact de divers programmes de partage de l'emploi, principalement en Europe, et les simulations faites à partir de modèles économétriques existants.

Après avoir recensé l'ensemble des études faites sur les cas allemand, français et belge, Drèze (1986) conclut : « *As of today, there is no indication that stimulating employment through shorter hours is feasible on a significant scale in the short run, and longer-run effects remain subject to much uncertainty* ». Gauvin et Michon (1989) arrivent à la même conclusion après avoir examiné les effets de la loi passée en France en 1982 réduisant la semaine légale de 40 à 39 heures, diminuant les possibilités d'heures supplémentaires, augmentant de 4 à 5 semaines les vacances annuelles payées et amenant l'âge normal de la retraite de 65 à 60 ans. Ils concluent, en effet, comme suit : « *This work sharing program was only partially successful. The policy of lowering the retirement age was a success. The policy of shortening the workweek was a failure* ». Il faut souligner que les études concluent généralement que les mesures favorisant les départs anticipés à la retraite ont un impact important sur l'emploi. Cette situation est particulière au contexte européen où les programmes publics de sécurité sociale incluent généralement les programmes de retraite. Lorsque des pays utilisèrent les modalités de ces programmes pour favoriser l'emploi, ils exigèrent, dans certains cas, que les travailleurs partant à la retraite sous ces conditions particulières soient remplacés par un nouvel employé pour que les entreprises puissent bénéficier des avantages du programme. On ne voit pas comment une telle exigence pourrait s'appliquer au Canada où les régimes de pension sont largement privés.

Les études de simulation réalisées à partir de différents modèles économétriques produisent, quant à elles, des résultats fort variables selon les hypothèses faites sur l'ajustement des salaires et le degré de substituabilité emploi/heures. À l'instar de Drèze (1986), nous ne pensons pas qu'il faille attacher une grande importance aux résultats de ces simulations[4].

Comment explique-t-on des effets aussi faibles sur l'emploi d'une réduction des heures de travail des travailleurs en emploi ? La première explication est reliée au contexte conjoncturel en cours lorsque l'on tente d'accroître l'emploi par une diminution des heures travaillées. Il s'agit, en effet, d'un contexte où la majorité des entreprises sont en situation de surcapacité de production importante par rapport à la demande des biens ou des services qu'elles produisent. Dans ces creux cycliques, les entreprises font des mises à pied, mais gardent aussi en emploi une partie de la main-d'œuvre dont elles pourraient se passer pour les besoins stricts de la production courante. Cette thésaurisation temporaire de la main-d'œuvre s'explique par les coûts des mises à pied et des réembauches éventuelles et, aussi, par les coûts qui découleraient de la perte définitive, au profit de concurrents, d'une main-d'œuvre qualifiée et expérimentée. L'entreprise fera donc continuellement un arbitrage entre les coûts de thésaurisation d'une partie de sa main-d'œuvre et ceux, précédemment énumérés, d'une mise à pied. Une étude empirique faite sur le sujet montrait que cette thésaurisation s'était élevée à 8 % chez les cols bleus dans l'échantillon d'entreprises étudiées (Owen 1989). Il faut comprendre que cette thésaurisation s'étend à l'ensemble des catégories de personnel dans l'entreprise et qu'elle peut être encore plus élevée lorsqu'il s'agit de travailleurs hautement qualifiés avec une grande expérience spécifique. Dès lors, on constate que l'imposition d'une réduction d'heures de travail des travailleurs déjà en emploi risque de servir

---

4. Charpin (1984) présente une excellente synthèse de ces simulations faites dans différents pays à l'aide de modèles macroéconométriques.

surtout à la réduction de la thésaurisation de la main-d'œuvre avec peu de création d'emplois nouveaux.

Si la réduction des heures imposée est suffisamment forte pour aller au-delà du pourcentage de main-d'œuvre thésaurisée, on rencontrera une nouvelle contrainte résultant de l'hétérogénéité de la main-d'œuvre. On doit reconnaître que la partie de la main-d'œuvre à la recherche d'un emploi n'est pas en tous lieux la réplique parfaite de la main-d'œuvre au travail. Tant et si bien que les entreprises qui partageraient les emplois entre les employés qui auraient réduit leur temps de travail et de nouveaux travailleurs, qu'elles auraient embauchés pour compenser les heures réduites, se retrouveraient, pour une période de temps plus ou moins longue, avec un sous-groupe de travailleurs moins qualifiés et sûrement moins expérimentés dans les emplois spécifiques de cette entreprise. Ce problème sera évidemment d'autant plus important que l'entreprise a fourni à ses travailleurs une expérience spécifique, c'est-à-dire propre au travail que l'individu doit faire dans l'entreprise en question, importante. C'est pourquoi l'intensité de cette contrainte sera variable d'un secteur industriel à l'autre et au sein d'un secteur industriel, d'une entreprise à l'autre. Dans ces conditions, on comprendra que la productivité moyenne du travail diminuera pour une période plus ou moins longue avec le partage de l'emploi et, qu'à taux de salaire donné, le coût unitaire du travail s'accroîtra. C'est une première raison qui poussera les entreprises à chercher à compenser la réduction des heures normales de travail par une augmentation des heures supplémentaires diminuant d'autant l'effet d'une réduction des heures de travail sur la création d'emplois. Indépendamment de ce qui précède, on doit aussi tenir compte du fait qu'une diminution des heures travaillées, qui accroît le nombre d'employés dans une entreprise, augmente les coûts d'embauche, d'administration et de coordination du personnel et, le cas échéant, de mise à pied. L'ensemble de ces éléments n'est pas sans incidence sur le coût du travail. En somme, aussitôt qu'il n'y a pas parfaite substituabilité entre hommes et heures, la réduction des heures, qui amène une augmentation du nombre de travailleurs, accroîtra pendant un certain temps le coût du travail.

Lorsque la réduction des heures n'entraîne pas une réduction strictement proportionnelle de la rémunération globale — c'est-à-dire le salaire plus le coût des avantages sociaux — le coût unitaire du travail augmentera si l'augmentation de la productivité ne vient pas compenser cette hausse de la rémunération globale horaire. Or, même avec une diminution du salaire en stricte proportion de la variation des heures travaillées, la rémunération globale pourrait diminuer moins à cause du caractère indivisible du coût d'un bon nombre d'avantages sociaux tels l'assurance-vie, l'assurance-maladie, les congés et les vacances, etc. Le coût de ces avantages sociaux pouvant atteindre 30 % de la rémunération globale, on comprendra qu'il constitue une contrainte non négligeable à la baisse de la rémunération globale en stricte proportion avec celle des heures travaillées. Pour maintenir le coût unitaire du travail, il devra donc y avoir une augmentation de la productivité.

Comme nous l'avons souligné au chapitre 2, maintenant que la semaine de travail est égale ou inférieure à 40 heures, l'augmentation de la productivité qui découlerait directement d'une nouvelle réduction des heures de travail est loin d'être démontrée. Surtout, comme on le voit de plus en plus, que ces diminutions s'accompagnent fréquemment d'une réduction du nombre de jours de travail par semaine mais d'un allongement des journées de travail.

Dans le cas où le travail se fait au sein d'une équipe, il faudra tenir compte du fait que la productivité de chacun dépend, entre autres, de la qualification et de l'expérience moyenne des membres de l'équipe. Or, si le partage de l'emploi réduit, par la venue de nouveaux travailleurs au sein de l'équipe, ce niveau moyen de qualification et d'expérience, la productivité de chacun des membres pourra en être affectée négativement pendant un certain temps. Enfin, il faut admettre qu'une contrainte imposée par l'État sur les heures normales de travail avec une diminution proportionnelle de la rémunération n'augmentera le bien-être que d'une minorité de travailleurs voulant travailler moins et étant prêts à sacrifier pour cela une part de leur revenu. Tous les autres se retrouveront dans une situation qu'ils n'ont pas souhaitée, et on peut penser que leur motivation au travail pourra en souffrir. Par contre, si, pour éviter ce genre de situation ou pour en atténuer les effets, on diminue moins les salaires que les heures travaillées, c'est le coût du travail qui augmentera avec, à terme, un effet négatif sur l'emploi.

Enfin, il y a une possibilité de diminution de la productivité puisque le temps de travail improductif [« mise en route »] augmente lorsque le temps de travail diminue. Par ailleurs, la productivité du capital peut aussi diminuer, car la durée d'utilisation des équipements, en l'absence de réorganisation massive, est une fonction courante de la durée du travail.

En somme, des recherches faites sur des expériences de réduction **imposée** de la durée de la semaine de travail légale ou de contraintes sur les heures supplémentaires nous amènent à conclure que ces moyens de créations d'emplois sont non seulement fort incertains dans plusieurs de leurs effets, mais risquent d'entraîner les effets contraires à ceux recherchés.

Une digression sur les heures supplémentaires

On entend de plus en plus dire : « Il y a de moins en moins de gens qui travaillent et ceux qui ont un emploi travaillent de plus en plus ». Si l'on arrivait au moins à limiter les heures supplémentaires, selon certains, on augmenterait le nombre d'emplois et on réduirait le chômage. Pour illustrer le potentiel de création d'emplois par des contraintes sur les heures supplémentaires, on trouve dans un rapport récent du ministère de l'Emploi du Québec l'exemple suivant : « ... On a divisé le total des heures supplémentaires annuelles faites au Québec par des salariés rémunérés à l'heure par 2 000 heures (40 heures par semaine pendant 50 semaines). En supposant que les heures supplémentaires aient été strictement interdites, on pourrait ainsi être amené à conclure que 21 434 emplois auraient été libérés en 1991, 22 690 emplois en 1992 et 33 192 emplois en 1993. Bien entendu, les chiffres obtenus pour chacune de ces trois années ne sont pas cumulatifs[5]. » Évidemment, le rapport mentionne que ces calculs surestiment les possibilités de création d'emplois et donne plusieurs raisons de cette surestimation. On oublie souvent ces réserves dans certaines prises de positions publiques.

Mais, en fait, que s'est-il donc passé dans la part des heures supplémentaires dans le temps total travaillé pour susciter un tel débat ? Historiquement, la part des heures supplémentaires dans le temps total travaillé a varié, de façon générale, en sens inverse du taux de chômage. Lorsque le taux de chômage était élevé, les heures supplémentaires diminuaient et lorsque le taux de chômage diminuait, les heures supplémentaires augmentaient. En fait, les heures supplémentaires ont toujours servi d'amortisseur durant les variations cycliques ou saisonnières de la production. Dans ces cas de variations cycliques souvent imparfaitement prévisibles, les producteurs utiliseront d'abord et surtout une augmentation des heures supplémentaires pour répondre rapidement à une variation positive de la demande et une réduction des heures supplémentaires, lors de réduction de la demande, avant de procéder, si nécessaire, à des mises à pied.

Ce lien s'est rompu à partir de 1991. En effet, on observe non seulement une montée du chômage mais aussi une croissance de la part des heures supplémentaires dans le temps total travaillé qui est passée, au Canada, de 2,7 % au premier trimestre de 1991 à 3,2 % au dernier trimestre de 1994. Que s'est-il donc passé ? C'est à cette question que Bob Billings (1996) de Finance Canada a tenté de répondre dans une étude récente. Les conclusions de son étude se résument ainsi. D'abord, la croissance de la part des heures supplémentaires se concentre presque entièrement dans les industries exportatrices. Dans ces industries, la croissance de la production « juste à temps » a

---

5. Gouvernement du Québec 1995, p. 26.

amené une augmentation similaire de la demande de travail « juste à temps », donc des heures supplémentaires. En effet, dans ce mode de production, les inventaires servent de moins en moins à absorber les variations de demande des produits. De plus, l'augmentation de la proportion des travailleurs de la production par rapport aux administrateurs a haussé la part des heures supplémentaires payées dans le total des heures travaillées. Enfin, Billings évalue que la hausse des taxes sur la masse salariale et l'augmentation des avantages sociaux fut à la source de près du tiers de l'augmentation des heures supplémentaires.

Par un cheminement différent, le rapport du comité interministériel sur la réduction et l'aménagement du temps de travail arrive à une conclusion semblable : « *L'examen des données québécoises révèle que ce sont des salariés qui œuvrent dans des secteurs en forte concurrence avec le marché international qui font les plus longues heures de travail[6].* » Ce rapport, qui ne recommande pas la réglementation des heures supplémentaires, constate avec justesse qu'« *il ne suffit pas de constater une forte incidence des heures supplémentaires. Encore faut-il que ces heures soient rémunérées pour espérer les transformer en nouveaux emplois. Or, l'enquête sur les horaires et les conditions de travail (novembre 1991) indique que moins de 10 % des travailleurs déclaraient faire des heures supplémentaires rémunérées. Parmi eux, la moitié étaient rémunérés à taux et demi, le quart à taux simple[7]* ».

Que peut-on conclure sur ce sujet ? En premier lieu, il faut se rendre à l'évidence que le potentiel de création d'emplois nouveaux par des réglementations des heures supplémentaires est beaucoup plus faible que ce que laissent entendre les résultats des calculs élémentaires que l'on véhicule dans l'opinion publique. En second lieu, les effets pervers de telles réglementations sur les coûts du travail dans les secteurs les plus exposés à la concurrence internationale pourraient plus qu'annuler les gains d'emplois à court

---

6. Gouvernement du Québec 1995, p.15.

7. *Ibidem*, p. 13-14.

terme que de telles réglementations auraient pu entraîner. En dernier lieu, si les gouvernements veulent avoir une influence sur l'utilisation des heures supplémentaires, ils peuvent toujours examiner la taxation sur la masse salariale. Ce ne serait certainement pas le remède au chômage élevé, mais un tout petit pas dans la bonne direction.

Conclusion

La conclusion majeure que nous devons tirer de ce chapitre est qu'un certain nombre de pays européens ont plutôt utilisé la variation des heures que les mises à pied pour stabiliser l'emploi à court terme, c'est-à-dire à la suite de baisses temporaires de la production. Cette approche, dans le contexte européen, fut efficace pour ce type de variation de l'emploi. Le contexte américain étant autre, on y utilisa davantage les mises à pied pour adapter la production à des variations de court terme de la demande.

Il faut aussi retenir que l'utilisation du partage de l'emploi pour atténuer les effets en nombre d'emplois de modifications structurelles d'importance est récente et limitée dans un certain nombre de pays européens et inexistante en Amérique du Nord. Quant aux réglementations des heures de travail, des congés, des vacances et des heures supplémentaires pour créer des emplois, peu d'expériences ont été faites en dehors de la France et, dans ce pays, les résultats sont loin d'être concluants.

Il y a des questions auxquelles nous devons maintenant apporter des éléments de réponse. D'abord, est-ce qu'en Europe on réussira à vraiment utiliser le partage de l'emploi pour atténuer les effets des chocs structurels sur l'emploi ? En d'autres mots, le modèle qui fonctionnait bien pour des modulations de court terme de la production peut-il être utilisé lorsqu'il s'agit non pas de modulations temporaires de l'emploi mais de disparitions définitives de certains emplois et de la création d'autres emplois différents ?

Ensuite, serait-il possible et surtout opportun de transférer ici cette approche européenne ? Nous apporterons des éléments de réponse à ces questions dans le chapitre qui suit.

CHAPITRE 5

Le partage de l'emploi
dans une perspective dynamique

Dans les chapitres précédents, nous avons démontré l'utilisation fréquente, mais variable selon les pays, du partage de l'emploi depuis la révolution industrielle. L'histoire est importante non seulement parce qu'elle nous permet d'établir des comparaisons, mais surtout parce qu'elle montre à quel point les individus et les groupes d'individus s'inspirent des pratiques passées pour décider de leur présent et de leur avenir. Nous examinerons, dans ce chapitre, le partage de l'emploi dans un contexte dynamique pour pouvoir mieux expliquer pourquoi certains pays persistent à utiliser le temps réduit au lieu des mises à pied alors que d'autres s'en tiennent toujours presque exclusivement aux mises à pied. Cette approche dynamique nous donne, croyons-nous, le cadre requis pour mieux évaluer les difficultés de transférer en Amérique du Nord des institutions européennes favorisant l'utilisation du temps de travail réduit et, aussi, les difficultés pour l'Europe d'importer des éléments du modèle américain.

Revenons brièvement sur les programmes de partage de l'emploi de Bell et Volkswagen. Bell a incontestablement connu moins de succès que Volkswagen avec sa politique de réduction de la semaine de travail. On serait, pour le moins, malvenu d'imputer ces résultats divergents à des facteurs technologiques puisque le modèle de production à la chaîne chez Volkswagen n'est sûrement pas, *a priori*, plus flexible que la production du service téléphonique. On ne doit pas non plus attribuer le succès relatif de Volkswagen à une indemnisation du temps réduit par le programme allemand d'assurance-chômage parce que cette indemnisation ne fut pas accessible aux employés de Volkswagen travaillant 28,8 heures par semaine. Il serait, enfin, incorrect de penser que Volkswagen ne pouvait pas faire de mises à pied. Comme nous l'avons vu au chapitre 3, cette option était disponible mais ne fut tout simplement pas retenue. Le présent taux de chômage en Allemagne montre bien d'ailleurs que d'autres entreprises ont fait le choix des mises à pied.

Le présent chapitre donne une explication nouvelle et différente de la popularité du partage de l'emploi dans certains pays européens et, en particulier, en Allemagne. La grande conclusion que nous pouvons tirer des chapitres antérieurs est que l'Amérique du Nord et l'Allemagne ne partagent pas les mêmes modes d'ajustement du marché du travail parce qu'ils ne partagent tout simplement pas la même histoire du développement de ces marchés. Les expériences, si différentes, vécues récemment par Bell Canada et Volkswagen, ne doivent pas nous étonner. Bell n'avait aucune expérience passée de partage de l'emploi et devait, en plus, composer avec des contrats de travail, des lois et des institutions très peu favorables à la modulation du temps de travail alors que pour Volkswagen, c'était l'inverse.

Qu'est-ce qui sous-tend cette différence entre l'Amérique du Nord et l'Europe ? L'histoire nous dit que les travailleurs et les entreprises apprennent de leurs propres expériences. Cette approche, que l'on peut qualifier de modèle d'apprentissage, comporte plusieurs dimensions. Des pays comme l'Allemagne, où le temps de travail réduit a été régulièrement utilisé dans le passé, sont plus susceptibles de continuer avec une telle politique de partage de l'emploi dans l'avenir. Mais une autre dimension de l'apprentissage est que les travailleurs et les entreprises qui ont expérimenté des journées et des semaines plus courtes durant les récessions voient graduellement leurs préférences pour le temps de travail se modifier, ce qui se répercute sur la durée de la semaine normale de travail.

Il y a, toutefois, des limites à l'apprentissage. Non seulement il serait imprudent de transférer les institutions de type allemand à d'autres pays pour favoriser une utilisation plus grande du temps de travail réduit, mais l'actualité allemande nous porte à croire que l'expérience vécue par Volkswagen serait difficilement généralisable en Allemagne même. Le problème découle du fait que les politiques de partage de l'emploi, qui pouvaient être particulièrement bien adaptées pour stabiliser l'emploi lors de chocs conjoncturels, ne sont pas nécessairement appropriées pour atténuer les effets en emploi de changements structurels importants et rapides. C'est peut-être ce qui explique l'absence de consensus autour du fameux « pacte pour l'emploi » préconisé par le chancelier Helmut Kohl.

Alors que l'Allemagne, comme la plupart des autres pays industrialisés d'Europe, n'arrive pas à créer suffisamment d'emplois pour résorber un chômage ayant atteint un niveau jamais connu depuis la seconde guerre mondiale, les États-Unis craignent une surchauffe de leur marché du travail et une relance de l'inflation. Cette situation est tout à fait conforme à notre modèle d'apprentissage. Les pays européens ont eu tellement de succès dans l'utilisation de stratégies de temps de travail réduit et dans l'établissement de réglementations et de programmes favorisant le partage de l'emploi pour répondre aux chocs conjoncturels qu'ils sont devenus dépendant de cette approche. C'est pourquoi ils tentent de l'appliquer de plus en plus à des situations qui relèvent davantage de chocs structurels. Le transfert est loin d'être automatique. Par ailleurs, les réglementations favorisant le partage de l'emploi pour répondre à des chocs conjoncturels semblent devenir des obstacles aux ajustements rapides à des chocs structurels et donc à la création d'emplois nouveaux. Ces pays seraient, en quelque sorte, devenus « *les victimes de leurs succès passés* ». Les États-Unis, par contre, qui n'ont jamais significativement favorisé le partage de l'emploi par des lois, des réglementations et des programmes particuliers, se sont toujours ajustés par des mises à pied et la mobilité très forte des travailleurs. Non seulement ils n'ont pas de freins institutionnels aux ajustements structurels, mais les travailleurs et les employeurs américains ont une expérience unique d'adaptation par le changement et la modification des emplois, d'où leur facilité relative à vivre la période de mutation actuelle.

L'apprentissage par la pratique

Imaginons le cas d'un travailleur utilisant une machine ou une technique particulière durant quelques années sans qu'elle soit modifiée. On peut raisonnablement penser qu'au fur et à mesure que le travailleur devient plus familiarisé avec cette machine, la productivité s'accroît mais à un taux décroissant dans le temps. À ces premiers gains, s'ajoutent les aspects dynamiques de l'apprentissage dans le temps. Dans une perspective dynamique, les modèles d'apprentissage par la pratique impliquent que la probabilité qu'une technologie ou un mode d'organisation soit adopté par ceux qui ne l'utilisent pas déjà et soit amélioré augmente avec l'intensité de son utilisation. En ce sens, les choix passés conditionnent largement les choix futurs. Il y a des mécanismes de rétroaction entre le changement technologique ou organisationnel, d'une part, et son utilisation et son évolution, d'autre part, qui entraînent des gains de productivité pouvant largement dépasser les premiers bénéfices de l'apprentissage.

Le temps réduit ou le partage de l'emploi est un changement organisationnel et institutionnel qui a malheureusement été trop étudié dans une perspective purement statique. C'est dans cette perspective qu'au chapitre précédent nous avons explicité les conséquences du partage de l'emploi sur l'emploi, la productivité et la croissance économique. Nous en avons conclu que, selon les lois, les réglementations et les programmes en place à un moment donné du temps et compte tenu des expériences passées vécues par les travailleurs et les entreprises, les coûts du partage de l'emploi pouvaient facilement en excéder les bénéfices.

Dans un contexte dynamique, les coûts d'ajustement des travailleurs et des entreprises à la modulation du temps de travail peuvent devenir beaucoup moins importants à cause de l'expérience acquise. Les entreprises ont pu introduire davantage d'équipes de travail flexibles, une organisation du travail et des technologies permettant des horaires de travail variables ont pu être adoptées, etc. Par ailleurs, les travailleurs ont pu graduellement adopter un style de vie au foyer et au travail qui convient mieux aux heures réduites. Ainsi donc, dans une perspective dynamique où l'apprentissage se réalise et les mécanismes de rétroaction positive se développent, le partage de l'emploi pourrait très bien ne pas augmenter les coûts. Il serait tout simple- ment un mode alternatif d'organisation du travail en période de récession.

L'histoire du partage de l'emploi que nous avons esquissée au chapitre 1 nous fournit une bonne illustration du fonctionnement de ce mécanisme d'apprentissage. À Manchester [Angleterre], au milieu du 19e siècle, les politiques de partage de l'emploi n'étaient pas bien établies et en période de ralentissement on trouvait autant d'entreprises fonctionnant en temps réduit que d'entreprises n'utilisant pas cette modalité d'ajustement (Huberman 1996). Or, pour accroître la pratique du temps réduit, des listes noires d'entreprises et de travailleurs refusant le temps réduit étaient publiées dans les journaux locaux. Ces entreprises récalcitrantes avaient beaucoup de difficultés à recruter de la main-d'œuvre lorsque l'activité économique reprenait et les bons employeurs évitaient d'embaucher des travailleurs sur la liste noire. Cette approche semble avoir fonctionné puisque graduellement le nombre d'entreprises et de travailleurs sur les listes noires diminua et la publication des listes noires cessa. Le partage de l'emploi était alors devenu un mode d'ajustement de la production à peu près généralisé. Pour tenir compte de cette réalité, les travailleurs modifièrent graduellement leur comportement et les employeurs en firent autant avec l'organisation du travail et la technologie, ce qui mit en marche l'ensemble des effets dynamiques de l'apprentissage.

Avec le temps, travailleurs et employeurs oublient souvent l'origine des réglementations qui les régissent et des ajustements quasi mécaniques qu'ils effectuent. C'est la forme la plus avancée de l'apprentissage. Lors d'une rencontre que nous avons eue avec la direction et le comité d'entreprise de Volkswagen pour discuter du programme de partage de l'emploi de 1993, nous leur avons demandé si l'entreprise avait utilisé le partage de l'emploi dans le passé. Ils nous répondirent que la convention collective de décembre 1993 était une première dans l'histoire de Volkswagen. On avait oublié l'histoire du partage de l'emploi chez Volkswagen, que nous avons rappelée au chapitre 3. Il n'en demeure pas moins que cette histoire les avait marqués puisque les négociations conduisant à l'entente de décembre 1993 convergèrent rapidement sur le partage de l'emploi comme la modalité la plus intéressante pour remédier à la crise vécue par l'entreprise. Il y avait aussi en place tout un support institutionnel et gouvernemental propice à l'implantation d'une telle politique.

À travers les pays, l'histoire du partage de l'emploi se révèle dans les différents arrangements institutionnels en place. Nous avons vu, au chapitre précédent, les grandes lignes du programme canadien de partage de l'emploi. L'histoire de ce programme en montre bien les limites. Les débats ayant entouré la législation sur l'assurance-chômage en 1935 et en 1940 ne firent aucune allusion au partage de l'emploi même si les expériences européennes étaient bien connues à la suite de la publication de nombreuses études comparatives sur les modalités d'établissement et de fonctionnement de différents systèmes nationaux d'assurance-chômage (Struthers 1983). Ce n'est qu'en novembre 1977 qu'un programme expérimental de partage de l'emploi fut mis sur pied par le programme canadien d'assurance-chômage. Il prit fin en septembre 1979. Ce projet pilote accordait une indemnisation aux travailleurs devant subir une réduction temporaire du temps de travail pour éviter la perte d'habilités acquises et les coûts de leur réinsertion dans leur emploi. Ce projet voulait aussi atténuer l'impact de mises à pied permanentes. L'évaluation que l'on fit de ce programme, au début des années 80, ne fut pas très favorable. On trouva, en effet, que les entreprises avaient fait de mauvaises prévisions de leurs mises à pied, que le partage de l'emploi n'éliminait pas les mises à pied et que parfois le programme fut utilisé sans raison valable. Ces résultats négatifs étaient tout à fait compatibles avec le manque d'expériences passées au Canada dans ce domaine.

Malgré cet échec, le programme d'assurance-chômage proposa un nouveau programme de partage de l'emploi à la fin de 1981. Contrairement au projet pilote, le nouveau programme se limitait à réduire les mises à pied temporaires et mettait davantage l'accent sur la viabilité des entreprises. Ce nouveau programme eut peu d'appuis de la part des groupes d'employeurs et de travailleurs, ce qui reflétait bien le peu d'enthousiasme pour le partage de l'emploi, particulièrement au sein des grandes entreprises syndicalisées. Leslie Pal (1983), qui a très bien étudié les développements dans l'utilisation du fonds de l'assurance-chômage, situe la décision du gouvernement fédéral de réintroduire un programme de partage de l'emploi dans le contexte de l'utilisation d'un surplus accumulé dans le compte de l'assurance-chômage. Face à l'augmentation rapide du chômage au début des années 80, le gouvernement a réagi, selon Pal, d'une manière tout à fait *ad hoc*. Le programme ne découlait vraiment pas de pratiques passées, ce qui explique sûrement une bonne partie de son peu de succès. Les supporters du temps réduit indemnisé au Canada disent qu'un frein majeur à l'utilisation du programme fut le manque d'information à son sujet. Le manque d'information est peut-être une cause de la faible utilisation, mais on ne peut certainement pas exclure l'intérêt limité des employeurs et des travailleurs canadiens pour le partage de l'emploi. Les promoteurs du partage de l'emploi aux États-Unis tentent aussi d'expliquer la faible utilisation des programmes mis en place dans plusieurs États par le manque d'information (Abraham et Houseman 1993).

Le partage de l'emploi et la réduction de la semaine de travail

Un des faits marquants de la croissance économique en Allemagne et dans d'autres pays d'Europe, après la seconde guerre mondiale, est la diminution de la semaine normale de travail. En 1950, les heures de travail hebdomadaires payées étaient de 47 en Allemagne de l'Ouest et de 42 au Canada. Or, depuis 1950, les heures de travail ont diminué de plus de 20 % en Allemagne et de seulement 8 % au Canada. On peut se demander s'il n'y a pas un lien entre une utilisation intensive de la variation des heures pour stabiliser l'emploi en période de récession et l'évolution de la semaine normale de travail. Le modèle d'apprentissage que nous avons exposé suggère un tel lien. Il s'explique par les changements dans les préférences et les attitudes (Levy-Garboua et Montmarquette 1996). La réduction régulière des heures de travail pour répondre aux chocs cycliques permet aux travailleurs d'évaluer correctement non seulement les bénéfices qu'ils peuvent retirer d'un temps libre plus long, mais aussi l'impact sur leur niveau de vie d'une certaine réduction ou de l'absence d'augmentation de leur revenu. Ces expériences répétées sont susceptibles de modifier les préférences des individus. Rappelons-nous que dans le modèle d'offre de travail que nous avons esquissé au chapitre 2, les préférences des travailleurs étaient constantes. Dans un modèle dynamique, les préférences s'ajustent en fonction des expériences passées. Les travailleurs ayant régulièrement expérimenté un temps de travail plus court pourront davantage que les autres préférer travailler moins même si cela implique une baisse ou une certaine stagnation de leur revenu.

Les données que nous avons sur les heures de travail désirées et actuellement travaillées en Europe et en Amérique du Nord sont tout à fait compatibles avec le modèle d'apprentissage. Le tableau 5.1 nous donne, pour différents pays d'Europe, les États-Unis et le Canada, la proportion des travailleurs satisfaits de leurs heures de travail, voulant travailler plus et voulant travailler moins.

TABLEAU 5.1

PRÉFÉRENCES POUR LES HEURES DE TRAVAIL :
CANADA, ÉTATS-UNIS, ALLEMAGNE, PAYS-BAS, GRANDE-BRETAGNE

	Heures de travail désirées (% des travailleurs)		
	Moins d'heures	Mêmes heures	Plus d'heures
Canada	17 %	49 %	34 %
États-Unis	6 %	62 %	33 %
Allemagne	10 %	76 %	14 %
Pays-Bas	12 %	70 %	18 %
Grande-Bretagne	8 %	68 %	24 %

Sources : Bell et Freeman (1995) ; Kahn et Lang (1995).

En Allemagne et au Pays-Bas, la vaste majorité des travailleurs sont satisfaits des heures qu'ils travaillent alors qu'une faible proportion veulent travailler davantage et une proportion semblable veulent travailler moins. Par contre, au Canada et aux États-Unis, une proportion beaucoup plus forte de travailleurs que dans les pays européens veulent travailler davantage. En comparaison avec les Européens, les Nord-Américains veulent travailler davantage et la tendance à l'augmentation des heures de travail, que l'on constate sur ce continent, reflète bien ce désir.

Le tableau 5.1 nous fournit des informations sur les préférences de l'ensemble des travailleurs indépendamment du temps qu'ils travaillent effectivement. De plus, nous n'avons pas l'évolution dans le temps des préférences des travailleurs. Dans le cas de l'Allemagne, nous avons analysé, pour la période 1984-1995, les préférences pour les heures de travail seulement pour ceux travaillant un nombre d'heures correspondant à la moyenne des heures travaillées. Il s'agit donc d'un groupe homogène pour ce qui est des heures effectivement travaillées. Le tableau 5.2 révèle que la moyenne des heures (contractuelles) travaillées a chuté de 41,81 heures en 1985 à 38,40 heures en 1994. Les trois dernières colonnes du tableau 5.2 indiquent les préférences des personnes travaillant des heures correspondant aux heures moyennes pour chacune des années. Ainsi, en 1985, pour les travailleurs dont les heures de travail se situaient à 41,81 heures, 39 % d'entre eux désiraient travailler le même nombre d'heures et 39 % auraient préféré travailler plus d'heures. Cependant en 1994, seulement 27 % de ceux travaillant 38,8 heures auraient préféré travailler un plus grand nombre d'heures.

Tableau 5.2

Moyenne des heures de travail contractuelles et préférences pour les heures : Allemagne 1985-1994

Année	Moyenne des heures travaillées	Heures de travail désirées (pour ceux qui travaillent des heures moyennes indiquées)		
		Moins d'heures	Mêmes heures	Plus d'heures
1985	41,81	21,23 %	39,58 %	39,19 %
1990	38,81	24,23 %	37,66 %	38,11 %
1994	38,40	24,80 %	48,35 %	26,85 %

Sources : German Socio-economic Panel Study (GSOEP).
Note : Allemagne = Allemagne de l'Ouest seulement.

L'expérience canadienne tend aussi à appuyer l'hypothèse d'un apprentissage. Kahn et Lang (1995) ont effectué l'étude la plus détaillée des préférences des travailleurs canadiens pour le temps de travail en utilisant les seules données complètes disponibles qui proviennent de l'enquête canadienne auprès de la population active de 1986. Ils trouvent [tableau 5.3] qu'une proportion plus grande de travailleurs, ayant un horaire de temps de travail réduit, préféreraient travailler moins d'heures que ceux ayant un horaire de temps de travail normal ou plus élevé que la normale.

TABLEAU 5.3

PRÉFÉRENCES POUR LES HEURES DE TRAVAIL
SELON LE TEMPS DE TRAVAIL : CANADA 1986

	Heures de travail désirées			
	Moins d'heures	*Mêmes heures*	*Plus d'heures*	*N*
Réduites	27,0 %	35,6 %	37,4 %	97
Normales	17,3 %	49,3 %	33,4 %	6167
Supérieures	16,9 %	44,1 %	39,1 %	980
Total	17,3 %	48,5 %	34,2 %	7244

Sources : Kahn et Lang (1995).

On le constate, même au Canada, les travailleurs ayant expérimenté les heures réduites préfèrent continuer à travailler moins d'heures. Le problème est qu'au Canada la proportion des travailleurs ayant vraiment expérimenté les heures réduites est très faible par rapport à ceux travaillant un nombre d'heures normal ou plus élevé que la normale.

On trouve, aux graphiques 5.1 et 5.2, l'évolution dans le temps des proportions de la main-d'œuvre travaillant différentes heures au Canada et en Allemagne. Notons que l'ensemble des données allemandes portant sur la période 1945-1994 se limite à l'Allemagne de l'Ouest.

Au Canada, la diminution de la proportion d'individus travaillant des heures normales s'explique autant par l'augmentation de la proportion d'individus travaillant à temps partiel que par la croissance de la proportion de travailleurs travaillant de plus longues heures que la normale.

GRAPHIQUE 5.1

DISTRIBUTION DES HEURES DE TRAVAIL AU CANADA

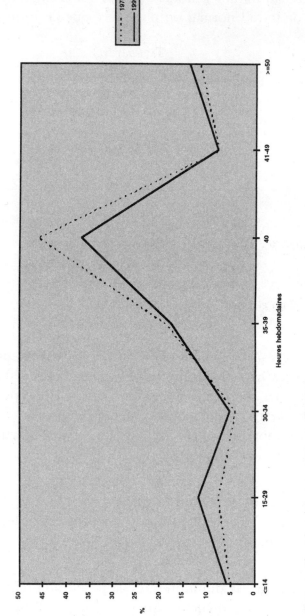

Source : Sheridan, Sunter et Diverty (1996).

GRAPHIQUE 5.2

DISTRIBUTION DES HEURES DE TRAVAIL EN ALLEMAGNE

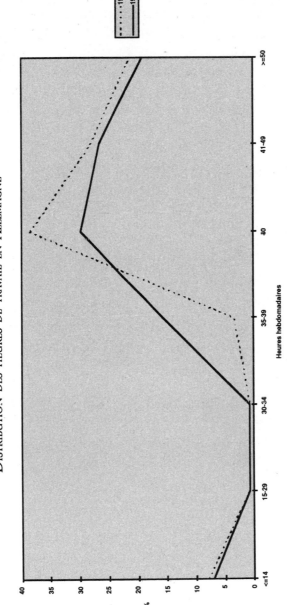

Source : GSOEP

Note : Allemagne = Allemagne de l'Ouest seulement.

La distribution des travailleurs, par catégorie d'heures travaillées, a évolué de façon bien différente en Allemagne. En 1994, on trouve moins de travailleurs allemands travaillant à temps partiel ou de longues heures qu'en 1985, mais l'ensemble de la distribution semble s'être déplacé vers la gauche. Contrairement au Canada où ceux qui travaillent plus veulent continuer à travailler davantage, les entreprises s'ajustant à cette demande, en Allemagne, au fur et à mesure que les travailleurs ont acquis plus d'expérience avec les heures réduites, ils ont préféré travailler moins et les heures effectivement travaillées se sont ajustées en conséquence.

Les limites du modèle allemand

En novembre 1995, Klaus Zwickel, le dirigeant du grand syndicat IG Metall, auquel appartiennent les travailleurs de Volkswagen, ouvrit des discussions avec des représentants des employeurs et du gouvernement pour trouver des moyens de réduire le niveau de chômage. Le « pacte pour l'emploi » qu'il mettait sur la table constituait un changement important par rapport aux revendications passées de ce puissant syndicat. Dans la ronde de négociations qui s'ouvrira en 1997, le syndicat accepterait que les augmentations salariales ne dépassent pas le taux d'inflation. De plus, le syndicat permettrait l'embauche de nouveaux travailleurs à un salaire plus bas que celui des employés en place. Ce à quoi le même syndicat s'était toujours farouchement opposé. En échange de ces concessions, les employeurs s'engageraient à créer 110 000 nouveaux emplois par année entre 1997 et 2000 et le gouvernement abandonnerait ses projets de restrictions dans les avantages sociaux et accepterait de financer davantage de postes d'apprentis. Cette proposition fut chaleureusement reçue par le chancelier Kohl qui convoqua un sommet tripartite pour discuter de ce sujet.

Aux niveaux régional et local, où les conventions collectives sont négociées, les propositions mises de l'avant par les dirigeants syndicaux étaient loin de recevoir un appui unanime. Les employeurs voulaient profiter de la crise pour réduire les coûts du travail et accroître la flexibilité et la différenciation des horaires de travail. Ces demandes rencontraient une forte opposition des syndicats. Quant aux demandes des employés de compenser les heures supplémentaires par des congés payés et de réduire les heures de travail pour prévenir les mises à pied, elles furent reçues plutôt froidement par les employeurs. De son côté, le gouvernement continua de réduire différents avantages sociaux et intensifia ses pressions pour déréglementer le marché du travail. Ce double langage du gouvernement fut ouvertement critiqué par les syndicats. Tant et si bien qu'en avril 1996 les discussions tripartites se retrouvèrent dans une impasse.

À la lumière d'un modèle d'apprentissage, comment peut-on expliquer cette rupture d'un partenariat social qui connut tellement de succès dans le passé ? Rappelons-nous qu'il y a plusieurs dimensions à l'apprentissage. Nous avons observé que les entreprises et les travailleurs qui ont travaillé à temps réduit dans le passé sont plus susceptibles d'adopter cette stratégie dans l'avenir pour éviter les mises à pied. Nous avons aussi trouvé que l'apprentissage établissait une relation entre la modulation fréquente des heures de travail pour stabiliser l'emploi et la diminution dans la durée de la semaine normale de travail. Toutefois, comme nous le révèle la situation présente en Allemagne, il y a des limites au modèle qui apparaissent lorsque l'on tente de l'appliquer à des cas de changements structurels importants et rapides et de restructuration d'entreprises. L'utilisation du temps réduit ou du partage de l'emploi peut être fort efficace comme une solution transitoire ou de court terme pour éviter des mises à pied lors de réduction temporaire de la production, mais cette approche ne peut résoudre les problèmes de long terme et plus fondamentaux du marché du travail résultant de chocs structurels majeurs.

Des informations récentes que nous avons obtenues sur le comportement des travailleurs de Volkswagen ne sont pas moins révélatrices des limites du modèle allemand et de la difficulté de transférer des politiques particulières de partage de l'emploi même au sein de l'Allemagne. Après une année et demie de pratique du partage de l'emploi à Volkswagen, l'Institut de Sociologie de l'Université du Erlangen-Nuremberg a effectué une enquête auprès de 3 000 travailleurs de l'usine de Wolfsburg portant sur leur évaluation de l'expérience de la semaine de 28,8 heures[1]. Les résultats de cette enquête nous montrent un niveau d'appui de la part des travailleurs à cette formule de temps réduit qui est loin de l'unanimité. En effet, seulement 50 % des travailleurs se disent satisfaits de la semaine réduite, 34 % sont ambivalents et 16 % sont insatisfaits. Le maintien de la sécurité d'emploi est perçu comme le principal avantage de ce nouvel horaire de travail, mais 90 % des travailleurs considèrent la baisse de revenu qui en découle comme un désavantage majeur. L'effet revenu, qui évidemment augmente avec le temps, est très clair dans les données désagrégées et ressemble à s'y méprendre à celui que nous avons trouvé dans le cas de Bell et que nous avons discuté au chapitre 2. En effet, l'enquête montre bien que l'insatisfaction quant au programme de semaine réduite s'accroît avec le revenu de l'employé et est plus prononcée chez les hommes et les employés ayant un niveau d'éducation supérieur. Plus de 80 % des répondants à l'enquête disent que leur fardeau de travail s'est alourdi indiquant par là qu'une partie des gains de productivité, qui ont fait suite à l'entente et dont nous avons parlé au chapitre 3, peut être imputable à des efforts accrus des travailleurs. Enfin, seulement 1 % des travailleurs se disent en faveur d'une nouvelle réduction du temps de travail, 53 % acceptent le maintien de l'horaire actuel et 46 % veulent travailler davantage. Ces derniers chiffres montrent les limites du partage de l'emploi et de la réduction du temps de travail lorsque l'on passe d'une situation ponctuelle et de court terme à un changement qui s'incruste.

Dans l'ensemble, même en Allemagne, les travailleurs mettent assez rapidement une limite à la réduction des heures impliquant des pertes de revenu présent et futur incluant les bénéfices qu'ils retireront lors de leur retraite. La difficulté de transférer la solution

---

1. Nous remercions l'Institut de nous avoir donné accès aux résultats de cette enquête et de nous avoir permis de citer leurs résultats préliminaires.

de type Volkswagen à d'autres secteurs de l'économie allemande ne découle donc pas du caractère unique de l'industrie automobile mais bien davantage de la tentative d'appliquer un remède de court terme, utilisé dans le passé pour stabiliser l'emploi lors de baisse temporaire de la production, à un problème structurel de long terme.

La transférabilité du modèle européen

Au cours des deux dernières décennies, les économies européennes et nord-américaines ont dû s'ajuster à l'ouverture croissante des marchés, à la déréglementation, à la diminution quasi généralisée du rôle de l'État et des secteurs public et parapublic qui assumaient ce rôle, à la révolution informatique et aux changements profonds et rapides dans les télécommunications, etc. L'évaluation de l'impact de ces divers facteurs sur les économies ne fait pas partie de cette étude, mais il faut retenir qu'il y a un certain consensus sur le fait que leurs effets combinés ont profondément modifié la structure des économies et leur comportement cyclique. La rapidité et l'efficacité avec lesquelles les entreprises et les travailleurs s'ajustent à ce type de changements structurels et de long terme dépendent largement du cadre institutionnel dans lequel opèrent les agents économiques. Certaines institutions freinent l'adaptation au changement alors que d'autres la favorisent. De plus, que ce soit pour des raisons politiques, sociales, idéologiques ou simplement à cause de l'inertie, lorsqu'elles sont en place, les institutions sont très difficiles à changer (North 1990). Des ajustements marginaux sont toujours possibles mais plus souvent qu'autrement les entreprises et les travailleurs sont forcés de s'ajuster dans le cadre des institutions existantes.

Dans notre modèle d'apprentissage, nous avons étudié le temps de travail réduit et le partage de l'emploi comme une sorte de changement institutionnel. Il faut se rappeler que le temps de travail réduit fut populaire en Europe avant l'avènement de l'assurance-chômage et des autres législations du travail telles celles touchant la protection de l'emploi. Ce n'est que plus tard que des lois, des programmes et des institutions ont en quelque sorte codifié les pratiques courantes des entreprises et des travailleurs. Une fois en place, toutefois, ces lois, ces institutions et ces programmes montrent un degré élevé d'inertie. Cette inertie ne porte pas à conséquence tant et aussi longtemps que le contexte qui a suscité l'émergence des institutions en place demeure le même, mais lorsqu'il change profondément, elle peut rapidement devenir un frein à l'adaptation.

Revenons encore une fois sur le cas de l'industrie textile à Manchester. Le temps de travail réduit, avons-nous déjà dit, devint populaire aux alentours de 1850 et se transforma en une règle usuelle dans la deuxième moitié du 19e siècle. Les entreprises s'ajustaient aux variations cycliques de la demande en réduisant les heures de travail et les travailleurs s'attendaient à ce que les entreprises agissent ainsi pour éviter les mises à pied. Bien sûr, le travailleur individuel préférait travailler plus longtemps et certains auraient peut-être pu changer d'employeurs pour y arriver, mais on acceptait les règles du jeu (Solow 1990). Ces types d'ajustements et de comportements furent adéquats jusqu'à la première guerre mondiale alors que les variations conjoncturelles étaient la cause dominante des modifications dans l'activité de l'industrie textile britannique. Mais, après 1914, cette industrie britannique dut faire face à une concurrence internationale croissante et à une diminution substantielle de sa part de marché. Durant cette période de changements structurels profonds, l'industrie textile fut très lente à réagir. En effet, elle se comporta comme d'habitude et au fur et à mesure qu'elle perdit ses marchés étrangers, elle intensifia l'utilisation du temps de travail réduit au lieu de procéder aux réorganisations qui lui auraient redonné sa position concurrentielle. J.M. Keynes (1981), qui étudia les problèmes de l'industrie textile britannique dans les années 20, fut d'ailleurs très critique au sujet de l'utilisation du temps de travail réduit pour répondre aux changements structurels que subissait cette industrie. Le temps de travail réduit, disait-il, ralentit le processus d'ajustement nécessaire au rétablissement de la situation et permet même à des entreprises inefficaces de survivre. À cause de l'utilisation du temps de travail réduit, on aboutira, avertissait Keynes, à un chômage plus élevé et à une dislocation de plus en plus grande de l'industrie textile et de l'économie britannique. Il s'avéra que Keynes avait alors tout à fait raison.

Ce cas historique de l'industrie textile britannique nous donne peut-être la clé pour comprendre ce qui se passe présentement sur les marchés du travail européens et nord-américains. Nous prendrons comme exemples les marchés du travail de la France et de l'Allemagne que nous comparerons à ceux des États-Unis et du Canada.

Commençons par l'emploi [graphique 5.3]. La performance des économies de l'Amérique du Nord, et particulièrement celle de l'économie canadienne, dans la création d'emplois, a tout simplement été spectaculaire.

L'emploi au Canada s'est accru de près de 2,5 fois entre 1960 et 1994. Cette performance est suivie de près par celle de l'économie américaine. En France et en Allemagne, au cours de la même période, il n'y a, à toutes fins utiles, pas eu de création nette d'emplois. En somme, les nouveaux entrants sur le marché du travail remplaçaient tout simplement les partants. En fait, cette dernière information n'est pas tout à fait exacte. Le graphique 5.4 nous donne l'évolution depuis 25 ans du pourcentage de la population active ayant un emploi dans les quatre pays précités.

Ce pourcentage a considérablement diminué en France et en Allemagne alors qu'il s'est régulièrement accru aux États-Unis et au Canada. Il est donc évident que la dynamique des marchés du travail européens a été fort différente de celle des marchés nord-américains. Comment ces dynamiques différentes ont-elles pu influencer la configuration institutionnelle des marchés du travail ?

Les États-Unis et le Canada ont été, avant et après la Deuxième Guerre mondiale, des pays qui ont connu des augmentations fortes et répétées de leur population active à cause d'une immigration

GRAPHIQUE 5.3

NIVEAU DE L'EMPLOI : CANADA, FRANCE, ALLEMAGNE, ÉTATS-UNIS

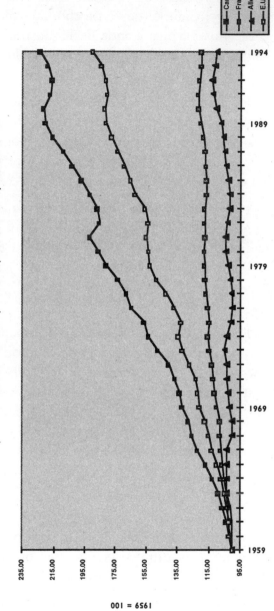

Source : B.L.S. data file, series 0019.

Note : Allemagne = Allemagne de l'Ouest seulement.

souvent massive et d'un taux de croissance naturel considérable de leur population. Comme une proportion importante des nouveaux entrants s'insérait sans expérience préalable sur ce marché particulier du travail et que les entreprises pouvaient difficilement évaluer la pertinence et la qualité de la formation et de l'expérience acquises à l'étranger, la consolidation des liens d'emploi prenait un certain temps. Durant cette période, le roulement de la main-d'œuvre était important pour ajuster l'appariement entre les besoins des entreprises et les habilités et attentes des nouveaux travailleurs. Ces individus, qui avaient tout quitté pour s'installer dans un nouveau pays, ne craignaient pas une mobilité leur permettant d'améliorer leur sort en changeant d'emplois. Cette frange importante des marchés du travail américain et canadien a grandement teinté la configuration de l'ensemble des marchés du travail nord-américains. D'une part, l'expérience particulière se prenait sur le tas et, d'autre part, autant les travailleurs que les entreprises acceptaient que le roulement et la mobilité de la main-d'œuvre était la modalité efficace d'ajustement du marché du travail. Tant et si bien que lors de baisses conjoncturelles de la production, on utilisait systématiquement les mises à pied pour s'ajuster à ces diminutions temporaires avec des modalités de rappel lors des reprises. Une partie des travailleurs mis à pied se trouvaient d'autres emplois avant d'être rappelés, ce qui augmentait encore davantage le roulement et la mobilité de la main-d'œuvre et accroissait encore la capacité des travailleurs de s'adapter rapidement aux changements d'environnement de travail et celle des entreprises à intégrer de nouveaux travailleurs.

En France et en Allemagne, le marché de l'emploi fut, à toutes fins utiles, stagnant sur une période de 35 ans. Bien sûr des travailleurs prenaient leur retraite et des jeunes les remplaçaient, mais cela se faisait en douceur, de façon prévisible et en proportion relativement faible par rapport à l'ensemble du marché du travail. Dans ce marché plutôt feutré, on ne voyait pas, *a priori*, d'inconvénients à consolider encore davantage les liens d'emploi par une réglementation lourde quant aux mises à pied et par une utilisation

GRAPHIQUE 5.4

TAUX D'EMPLOI : CANADA, FRANCE, ALLEMAGNE, ÉTATS-UNIS

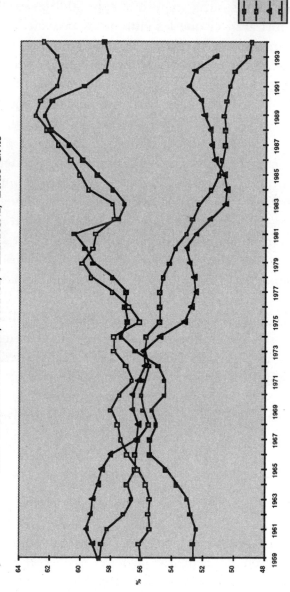

Source : B.L.S. data file, series 0020.

Note : Allemagne = Allemagne de l'Ouest seulement.

intensive de la variation des heures de travail pour stabiliser l'emploi lors de variations cycliques. On comprendra que, sur ces marchés, le roulement de la main-d'œuvre était faible et sa mobilité peu élevée. Ce contexte particulier ne permit pas aux travailleurs de ces pays d'acquérir une grande capacité d'ajustement à des milieux et des environnements de travail différents et aux entreprises de développer une capacité d'intégrer de nouveaux travailleurs et de modifier leur environnement de travail.

Comme nous le montre le graphique 5.5, ces expériences différentes et ces institutions particulières ont eu des effets spécifiques sur chacun des marchés du travail.

On s'aperçoit d'abord que, jusqu'au milieu des années 70, les taux de chômage étaient nettement plus faibles en Europe qu'aux États-Unis et au Canada. En effet, la mobilité et le roulement élevés de la main-d'œuvre et les mises à pied cycliques dans ces deux derniers pays de même que l'insertion continuelle dans ces marchés d'un grand nombre de nouveaux travailleurs y engendraient un taux de chômage frictionnel plus élevé qu'en Europe qui ne vivait absolument pas cette dynamique. À partir du milieu des années 70, lorsqu'une succession de chocs structurels et de modifications aux environnements économiques de tous les pays industrialisés se produisirent, les positions relatives des pays en matière de chômage se rapprochèrent puis, à certains moments, s'inversèrent. Que s'est-il donc passé ?

Nous avançons l'interprétation suivante des faits qui est tout à fait cohérente avec ce que l'on a vu antérieurement. Les travailleurs et les entreprises américaines, qui ont toujours vécu dans le changement et la mobilité et qui n'avaient aucune contrainte légale et institutionnelle particulière sur le marché du travail, se sont très rapidement et très efficacement ajustés à ces chocs nationaux et internationaux. Bien sûr, il y a eu des soubresauts mais, globalement, le taux de chômage n'est pas plus élevé aux États-Unis en 1994 qu'il l'était en 1959. Le modèle américain, qui n'était peut-être pas le meilleur pour stabiliser l'emploi à court terme, se révélait

Graphique 5.5

TAUX DE CHÔMAGE : CANADA, FRANCE, ALLEMAGNE, ÉTATS-UNIS

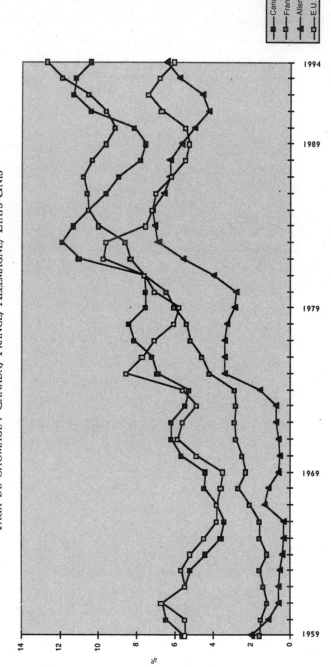

Source : B.L.S. data file, series 0022.

Note : Allemagne = Allemagne de l'Ouest seulement.

donc tout à fait adéquat pour répondre à des chocs structurels profonds et des changements d'environnements économiques internationaux considérables.

En France, le taux de chômage en 1994 est presque six fois plus élevé qu'en 1959 et en Allemagne plus de trois fois plus élevé si l'on se limite aux chiffres correspondant à l'ex-Allemagne fédérale. Des travailleurs peu habitués à la mobilité et aux changements d'environnement de travail, et des entreprises liées par des lois et réglementations très contraignantes et limitant leur marge de manœuvre dans tout processus de réorganisation ont été globalement incapables de s'ajuster rapidement et efficacement à la suite de chocs structurels et des changements dans l'environnement économique international. La configuration institutionnelle du marché du travail européen, adéquate pour un marché du travail peu dynamique et peu perturbé, se révélait un frein majeur aux ajustements requis à partir du milieu des années 70. On tenta régulièrement, dans ces pays, d'utiliser les remèdes passés pour remédier aux nouveaux problèmes mais le mal n'a fait que s'aggraver. À l'évidence, le partage de l'emploi n'est pas la solution aux genres de problèmes qu'ils ont, mais les contraintes institutionnelles et légales héritées du passé, de même que les expériences passées des travailleurs et des entreprises, les ont empêchés jusqu'ici de prendre les mesures qui s'imposent.

Le Canada se situant entre l'Europe et les États-Unis, tout au moins eu égard à la réglementation du marché du travail, on pourrait penser que cela explique une partie de l'écart grandissant du taux de chômage entre le Canada et les États-Unis (Card et Riddell 1993). Il y a sûrement là une explication mais elle n'est pas unique. On pense de plus en plus que la politique monétaire canadienne depuis le début des années 80 n'a pas du tout aidé ce pays à poursuivre sa croissance économique.

Conclusion

Dans les débats récents entourant le GATT, l'ALENA et la Communauté économique européenne, on a régulièrement soulevé le fait que l'intégration économique croissante entraînerait une harmonisation des institutions et des politiques régissant le marché du travail. Toutefois, l'intégration économique n'implique pas nécessairement que les institutions du marché du travail s'harmoniseront complètement (Ehrenberg 1994). En effet, nous avons vu, tout au long des chapitres, que malgré un accroissement des liens économiques entre les pays, la longueur de la semaine de travail et la pratique du partage de l'emploi avaient évoluées de façon fort différente en Europe et en Amérique du Nord. Les Européens continuent de vouloir travailler moins alors que les Nord-Américains veulent toujours travailler davantage. Les entreprises allemandes comptent toujours sur le partage de l'emploi durant les baisses cycliques alors que les Canadiens recourent aux mises à pied pour réduire la production.

Cette divergence entre l'Europe et l'Amérique du Nord a d'importantes répercussions pour les politiques économiques. Par rapport à l'Europe, les États-Unis offrent moins de support institutionnel à l'apprentissage, moins de support légal pour la syndicalisation, moins de réglementations gouvernementales de l'environnement de travail, moins de stabilité dans l'emploi, moins de loisir, moins de taxation sur la masse salariale, plus d'inégalité de revenu, etc. Mais en même temps, les États-Unis ont moins de chômage et une durée relativement courte des épisodes de chômage (Freeman 1994). Le Canada se retrouve entre les deux. On serait porté à penser qu'avec des politiques appropriées les gouvernements pourraient rapidement obtenir les bons côtés d'un système étranger en se débarrassant des mauvais côtés de leur propre système. C'est une illusion. Une politique qui a une certaine efficacité dans un pays sera sous optimale dans un autre pays relativement semblable à moins que ces deux pays aient vécu durant longtemps des histoires identiques de politiques économiques et de résultats de ces politiques (Hamermesh 1995). En deux mots, les différents pays ont différentes façons de s'organiser. Trop d'institutions devraient être modifiées trop vite pour rendre rapidement efficace des politiques adaptées à d'autres contextes. Ainsi, par exemple, une réglementation des heures de travail qui viserait à les diminuer significativement pourrait avoir des effets pervers au Canada et aux États-Unis compte tenu des préférences actuelles des travailleurs. Cette réglementation pourrait augmenter la course au deuxième emploi, au travail au noir, etc.

Cela dit, une chose semble certaine, s'il doit y avoir une évolution graduelle des modèles pour mieux s'ajuster au contexte économique actuel, l'Europe et le Canada doivent davantage regarder vers les États-Unis pour s'inspirer que ce dernier pays vers l'Europe. Mais là encore, il n'y aura pas de transfert instantané et de solution miracle.

Conclusion

L'étude détaillée que nous avons faite des programmes de partage de l'emploi mis en place chez Bell Canada et Volkswagen nous a grandement guidés par la suite dans toute notre réflexion sur la question plus large du partage du travail comme moyen de création d'emplois. Il nous fut très utile de voir et de comprendre, d'abord, dans la réalité même d'entreprises particulières, l'ensemble des facteurs facilitant l'implantation de tels programmes et en favorisant le succès.

C'est avec ces connaissances acquises à l'aide de l'étude d'expériences particulières que nous avons abordé la question suivante : est-ce que le partage de l'emploi serait une solution au problème persistant de chômage que nous vivons au Canada et au Québec depuis un certain nombre d'années ? On l'affirme régulièrement en citant l'Europe comme l'exemple à suivre. Or, l'examen que nous avons fait de cette question, en nous situant toujours dans une perspective historique et comparative, nous amène à répondre par la négative à la question initialement posée, et cela, pour deux grandes raisons que nous avons élaborées dans ce livre et que nous pouvons résumer comme suit :

- Le partage de l'emploi en Europe est un élément d'un ensemble composé d'expériences passées, de programmes, de lois et d'institutions qui encouragent des liens d'emploi très serrés entre le travailleur et l'entreprise. Transférer cet élément particulier et tenter de le greffer à un contexte institutionnel différent pourra mener au rejet (ce fut presque le cas aux États-Unis) ou à des effets pervers souvent imprévisibles. En effet, les développements historiques des marchés du travail nord-américain et européen ont été, comme nous l'avons vu, très différents. Le premier encourageait la mobilité et le changement, le second les décourageait.

• Même si l'on pouvait refaire l'histoire, il n'est pas du tout évident que l'on serait gagnant en transférant au Canada et au Québec le modèle européen. En effet, nous avons démontré que ce modèle, qui a eu un certain succès à une époque donnée et dans un contexte bien particulier, est tout à fait inadéquat en période de changements structurels importants et rapides. Sans oublier les problèmes particuliers de l'économie américaine, on doit reconnaître que les États-Unis, avec un marché du travail beaucoup plus flexible et moins réglementé, ont nettement mieux absorbé les chocs à répétition qu'ont connus les économies des pays industrialisés depuis le milieu des années 70. N'oublions pas que, depuis 1945 et en l'absence de partage de l'emploi, le Canada et les États-Unis ont eu une performance incomparablement supérieure à celle de l'Europe pour la création d'emplois.

Ce n'est pas dénier le problème de chômage au Canada et au Québec que de dire que les espoirs que certains mettent dans une politique, le partage de l'emploi, nous apparaissent faux. On doit plutôt se demander ce qui nous a fait décrocher du « pattern » nord-américain depuis le milieu des années 80. C'est à partir de ce moment-là, en effet, que l'écart entre le taux de chômage américain et le taux de chômage canadien s'est mis à s'accroître. L'économie canadienne réussissait de moins en moins à maintenir son rythme passé de création d'emplois alors que les États-Unis y sont arrivés. Plutôt que d'importer des solutions étrangères, on doit plutôt s'interroger sur l'efficacité relative avec laquelle nous avons utilisé, depuis une dizaine d'années, nos instruments traditionnels de stabilisation économique. On remet de plus en plus en cause les politiques monétaires et la gestion des finances publiques au Canada. Si le mal vient surtout de là, corrigeons-le à la source plutôt que de le masquer par des politiques qui s'attaqueraient davantage au symptôme qu'au mal.

Cela dit, on ne peut certainement pas s'opposer à la possibilité qu'au niveau de l'entreprise et à la suite d'ententes mutuellement bénéfiques, employés et employeurs réussissent à stabiliser ou à accroître temporairement l'emploi en le partageant. Le gouvernement devrait même s'assurer que ses propres programmes, lois et réglementations n'empêchent pas de telles ententes. Ce ne serait pas la solution miracle au grave problème de chômage, mais un petit pas dans la bonne direction.

Bibliographie

ABRAHAM, Katherine et Susan N. HOUSEMAN (1993), *Job Security in America : Lessons from Germany*, Brookings Institution, Washington, D.C.

ASSELAIN, Jean-Charles (1974), « Une erreur de politique économique : la loi des quarante heures de 1936 », *Revue économique*, 25 : 672-705.

BELL, Linda et Richard FREEMAN (1995), « Why Do Americans and Germans Work Different Hours ? » dans *Institutional Frameworks and Labor Market Performance*, (sous la direction de Frank Buttler *et al.*), Routledge, Londres.

BEST, Fred J. (1990), « Work Sharing : An Underused Policy for Combating Unemployment ? » dans *The Nature of Work*, (sous la direction de Ken Erikson et Steven P. Vallas), Yale University Press, New Haven.

BIENEFELD, M.A. (1972), *Working Hours in British Industry : An Economic History*, Weidenfeld and Nicolson, Londres.

BILLINGS, Bob (1996), « What is Behind the Rise of Over-Time in Canada ? » communication présentée à la conférence Les Changements dans le temps de travail au Canada et aux États-Unis, Ottawa.

BOOTH, Alison et Fabio SCHIANTARELLI (1987), « The Employment Effects of a Shorter Working Week », *Economica*, 54 : 237-248.

BOSCH, Gerhard (1990), « From 40 to 35 Hours : Reduction and Flexibilisation of the Working Week in the Federal Republic of Germany », *International Labour Review*, 129 : 611-627.

BOSCH, Gerhard et Frank STILLE (1991), « Working Time in Germany : Trends and Policy Issues », *Économies et sociétés*, 25 : 21-46.

BRIGGS, Steven (1987), « Allocating Available Work in a Union Environment : Layoffs vs. Work Sharing », *Labor Law Journal*, 42 : 650-657.

BRUMLOP, Eva et Ulrich JÜRGENS (1982), « Rationalization and Industrial Relations : A Case Study of Volkswagen » dans *Technological Change, Rationalization and Industrial Relations*, (sous la direction de Otto Jacobi, Bob Jessop, Hans Kastendiek et Marino Regini), Croom Helm, Londres.

BRUNELLO, Giorgio (1989), « The Employment Effects of Shorter Working Hours : An Application to Japanese Data », *Economica*, 56 : 473-486.

BURDETT, Kenneth et Randall WRIGHT (1989), « Unemployment Insurance and Short-Time Compensation : The Effect on Layoffs, Hours per Worker, and Wages », *Journal of Political Economy*, 97 : 1479-1496.

CAHUC, Pierre et Pierre GRANIER (1994), « Partage du travail, chômage et croissance : les enseignements d'un modèle d'équilibre général », miméo, MAD, Université de Paris I.

CALMFORS, Lars (1985), « Work Sharing, Employment and Wages », *European Economic Review*, 27 : 293-309.

CALMFORS, Lars et Michael HOEL (1989), « Work Sharing, Employment and Shiftwork », *Oxford Economic Paper*, 41 : 758-773.

CALMFORS, Lars et Michael HOEL (1990), « Work Sharing and Overtime », *Scandinavian Journal of Economics*, 90 : 45-62.

CARD, David et W. Craig RIDDELL (1993), « A Comparative Analysis of Unemployment in Canada and the U.S. » dans *Small Differences That Matter : Labor Markets and Income Maintenance in Canada and the U.S.*, (sous la direction de David Card et Richard B. Freeman), University of Chicago Press, Chicago.

CHARPIN, Jean-Michel (1984), « The Adaptation of Working Time as a Response to the Unemployment Problem » dans *Europe's Stagflation*, (sous la direction de Michael Emerson), Clarendon, Oxford.

COHEN, Lizabeth (1990), *Making a New Deal : Industrial Workers in Chicago, 1919-39*, Cambridge University Press, New York.

COMMISSION EUROPÉENNE (1993), « Croissance, compétitivité et emploi », *Europe Documents*, N° 1862/1863.

CROSS, Gary (1989), *A Quest for Time : The Reduction of Work in Britain and France, 1840-1940*, University of California Press, Berkeley.

DRÈZE, Jacques H. (1986), « Work-Sharing : Some Theory and Recent European Experience », *Economic Policy*, 1 : 561-619.

DRÈZE, Jacques H. (1991), « Work-Sharing : Some theory and Recent European Experience » dans *Underemployment Equilibria : Essays in Theory, Econometrics and Policy*, (sous la direction de Jacques H. Drèze), Cambridge University Press, New York.

EHRENBERG, Ronald G. (1994), *Labor Markets and Integrating National Economies*, Brookings Institution, Washington, D.C.

ELBAUM, Bernard (1989), « Why Apprenticeship Persisted in Britain but Not in the United States », *Journal of Economic History*, 49 : 337-351.

EMPLOI ET IMMIGRATION CANADA (1993a), « Work Sharing Evaluation : Final Report », Ottawa.

EMPLOI ET IMMIGRATION CANADA (1993b), « Work Sharing Evaluation : Technical Report », Ottawa.

FORTIN, Bernard (1984), « Vaincre le chômage par la réduction du travail : une illusion coûteuse », *L'Analyste*, 8 : 39-41.

FORTIN, Bernard (1989), « Une réduction de la semaine légale de travail augmente-t-elle la demande des travailleurs ? », *L'Actualité économique*, 65 : 423-442.

FREEMAN, Richard B. (sous la direction de) (1994) , *Working Under Different Rules*, Russell Sage Foundation, New York.

FREEMAN, Richard B. et Edward P. LAZEAR (1994), « An Economic Analysis of Works Councils » dans *Works Councils : Consultation, Representation, and Cooperation in Industrial Relations*, (sous la direction de Joel Rogers et Wolfgang Streeck), University of Chicago Press, Chicago.

FUCHS, Victor R. et Joyce P. JACOBSEN (1991), « Employee Response to Compulsory Short- Time Work », *Industrial Relations*, 30 : 501-513.

GAUVIN, Annie et François MICHON (1989), « Work-Sharing Public Policy in France, 1981- 1986 » dans *The State and the Labor Market*, (sous la direction de Samuel Rosenberg), Plenum Press, New York.

GENERAL ACCOUNTING OFFICE (1993), « Dislocated Workers : Implementation of the Worker Adjustment and Retraining Notification Act

(WARN) » Déposition faite par Linda G. Mossa devant le Subcommittee on Labor and Human Resources of the U.S. Senate.

GENERAL WORKS COUNCIL OF VOLKSWAGEN AG (1993), *Worker Participation at Volkswagen*, Volkswagen AG, Wolfsburg.

GENERAL WORKS COUNCIL OF VOLKSWAGEN AG (1995), 28,8 Hours Work Week, miméo, Volkswagen AG, Wolfsburg.

GILES, Anthony et Akivah STARKMAN (1995), « The Collective Agreement » dans *Union-Management Relations in Canada, third edition,* (sous la direction de Morley Gunderson et Allen Ponak), Addison-Wesley, Don Mills, Ontario.

GILSON, Mary B. (1931), *Unemployment Insurance in Great Britain : The National System and Additional Benefit Plans*, Industrial Relations Counselors, New York.

GORDON, Robert J. (1982), « Why U.S. Wage and Employment Behaviour Differs from that in Britain and Japan », *Economic Journal*, 92 : 13-44.

GOUVERNEMENT DU QUÉBEC (1995), *Rapport du Ministère de l'Emploi sur la réduction et l'aménagement du temps de travail*, Le Ministère de l'emploi, Québec.

GOUVERNEMENT DU QUÉBEC (1996), *Rapport du comité interministériel sur la réduction et l'aménagement du temps de travail*, Le Ministère du travail, Québec.

GRAY, David (1993), « Work-Sharing Benefits in Canada : A Time Series Analysis », *University of Ottawa Department of Economics Working Paper*, no 9316E.

HAMERMESH, Daniel S. (1995), « Policy Transferability and Hysteresis » dans *Institutional Frameworks and Labor Market Performance : Comparative Views on the U.S. and German Economies*, (sous la direction de Frank Buttler *et al.*), Routledge, Londres.

HAMERMESH, Daniel S. (1996), *Workdays, Workhours and Work Schedules : Evidence for the United States and Germany*, W.E. Upjohn Institute for Employment Research, Kalamazoo, Michigan.

HART, R.A. (1990), « Profit Sharing and Work Sharing », *Economics Letters*, 34 : 11-14.

HARTZ, Peter (1994), *Jeder Arbeitsplatz hat ein Gesicht : Die Volkswagen-Lösung*, Campus Verlag, Frankfurt.

HOEL, Michael (1986), « Employment and Allocation Effects of Reducing the Length of the Workday », *Economica*, 53 : 75-85.

HOPKINS, Eric (1982), « Working Hours and Conditions during the Industrial Revolution : A Re-Appraisal », *Economic History Review*, 35 : 52-67.

HOUSEMAN, Susan N. et Katharine G. ABRAHAM (1994), « Labor Adjustment under Different Institutional Structures : A Case Study of Germany and the United States », *W.E. Upjohn Institute for Employment Research Staff Working Papers*, no 94-26.

HUBERMAN, Michael (1995), « Some Early Evidence of Worksharing : Lancashire before 1850 », *Business History*, 37 : 1-25.

HUBERMAN, Michael (1996), *Escape from the Market : Negotiating Work in Lancashire*, Cambridge University Press, Cambridge.

HUBERMAN, Michael et Robert LACROIX (1996), « Worksharing in Historical Perspective : Implications for Current Policy », miméo, Université de Montréal.

JACOBY, Sanford M. (1982), « The Duration of Indefinite Employment Contracts in the United States and England : An Historical Analysis », *Comparative Labor Law*, 5 : 85-128.

JACOBY, Sanford M. (1985), *Employing Bureaucracy : Managers, Unions, and the Transformation of Work in American Industry, 1900-1945*, Columbia University Press, New York.

JACOBY, Sanford M. (1993), « Pacific Ties : Industrial Relations and Employment Systems in Japan and the United States since 1900 » dans *Industrial Democracy in America : The Ambiguous Promise*, (sous la direction de Nelson Lichtenstein et Howell Harris), Cambridge University Press, New York .

JÜRGENS, Ulrich (1995), « Volkswagen's Trajectory into the 1990s », miméo, Wissenschaftszentrum Berlin.

JÜRGENS, Ulrich, Thomas MALSCH et Knuth DOHSE (1993), *Breaking from Taylorism : Changing Forms of Work in the Automobile Industry*, Cambridge University Press, Cambridge.

KAHN, Shulamit B. et Kevin LANG (1994), « The Causes of Hours Constraints : Evidence from Canada », Miméo, Boston University.

KAHN, Shulamit et Kevin LANG (1995), « Sources of Hours Constraints : Evidence from Canada », *Canadian Journal of Economics*, 28 : 914-928.

KEYNES, J. M. (1981), « Industrial Reorganisation : Cotton » dans *The Collected Writings of John Maynard Keynes, vol. XIX, part ii, Activities 1922-1929 : The return to the Gold Standard and Industrial Policy,* (sous la direction de Donald Moggridge), Cambridge University Press, Cambridge.

KEYSSAR, Alexander (1986), *Out of Work ; The First Century of Unemployment in Massachusetts,* Cambridge University Press, New York.

KOCKA, Jürgen (1987), « Entrepreneurs and Managers in German Industrialization » dans *The Cambridge Economic History of Europe, Vol. VII, part 1,* (sous la direction de Peter Mathias et M.M. Postan), Cambridge University Press, Cambridge.

LANOIE, Paul, F. RAYMOND et B. SHEARER (1996), « Work Sharing and Productivity : Evidence from a Natural Experiment », *CIRANO, Série Scientifique,* n° 96s-06.

LAYARD, Richard (1996), « How to Cut Unemployment », *Policy Options,* 17 : 46-50.

LAZONICK, William (1990), *Competitive Advantage on the Shop Floor,* Harvard University Press, Cambridge, Mass.

LEE, J.J. (1978), « Labor in German Industrialization » dans *The Cambridge Economic History of Europe, Vol. VII, part 1,* (sous la direction de Peter Mathias et M.M. Postan), Cambridge University Press, Cambridge.

LÉVY-GARBOUA, Louis et Claude MONTMARQUETTE (1996), « Cognition in Semingly Riskless Choices and Judgements », *Rationality and Society,* 8 : 167-185.

MATHEWSON, Stanley B. (1969), *Restriction of Output Among Unorganized Workers, second edition,* Southern Illinois University Press, Carbondale.

MORISSETTE, René, J. MYLES et G. PICOT (1994), « Earnings Inequality and the Distribution of Working Time in Canada », *Canadian Business Economics,* 2 : 3-16.

MOSLEY, Hugh et Thomas KRUPPE (1995), « Employment Stabilisation through Short-Time Work », miméo, Wissenschaftszentrum Berlin.

NORTH, Douglass C. (1990), *Institutions, Institutional Change and Economic Performance,* Cambridge University Press, Cambridge.

OWEN, John D. (1989), *Reduced Working Hours : Cure for Unemployment or Economic Burden ?,* Johns Hopkins University Press, Baltimore.

PAL, Leslie A. (1983), « The Fall and Rise of Developmental Uses of UI Funds », *Canadian Public Policy*, 9 : 81-93.

PENCAVEL, John (1992), *Labor Markets under Trade Unionism : Employment, Wages and Hours*, Blackwell, Oxford.

PETERS, Jürgen (1994), *Modellwechsel : Die IG Metall und die Viertagewoche bei VW*, Steidl Verlag, Göttingen.

PIGOU, A.C. (1932), *The Economics of Welfare*, MacMillan, Londres.

POULIN-SIMON, Louise et Diane TREMBLAY (1984), « Le programme de travail partagé : une expérience utile mais... Une évaluation des expériences des travailleurs et travailleuses du Québec », *Bulletin de l'Institut de recherche appliquée sur le travail*.

REID, Frank (1985), « Reductions in Work Time : An Assessment of Employment Sharing to Reduce Unemployment » dans *Work and Pay : The Canadian Labor Market*, (sous la direction de W. Craig Riddell), University of Toronto Press, Toronto.

RIDDELL, W. Craig (1996), « Employment and Unemployment in Canada : Assessing Recent Experience », *Policy Options*, 17 : 9-14.

ROYAL COMMISSION ON UNEMPLOYMENT INSURANCE (1931), First Report, His Majesty's Stationary Office, Londres.

SALAIS, Robert, Nicholas BAVEREZ et Bénédicte REYNAULD (1986), *L'invention du chômage : Histoire et transformations d'une catégorie en France des années 1890 aux années 1980*, Presses Universitaires de France, Paris.

SCHOR, Juliet B. (1991), *The Overworked American : The Unexpected Decline of Leisure*, Basic Books, New York.

SHANK, Susan E. (1986), « Preferred Hours of Work and Corresponding Earnings », *Monthly Labor Review*, 109 : 40-44.

SHERIDAN, Mike, Deborah SUNTER et Brent DIVERTY (1996), « The Changing Workweek : Trends in Weekly Hours of Work in Canada, 1976-1995 », communication présentée à la conférence Les Changements dans le temps de travail au Canada et aux États-Unis, Ottawa.

SIEDULE, Tom, C. GUEST et G. WONG (1996), « Economic Activities and the Demand for Work Sharing in Canada », communication présentée à la conférence Les Changements dans le temps de travail au Canada et aux États-Unis, Ottawa.

SOLOW, Robert M. (1990), *The Labor Market as a Social Institution*, Basil Blackwell, Cambridge.

STEMBERGER, Gerhard (1991), « Working Time Reduction and A-Typical Employment in Austria », *Économies et sociétés*, 25 : 137-153.

STREECK, Wolfgang (1984), *Industrial Relations in West Germany : A Case Study of the Car Industry*, St. Martin's Press, New York.

STREECK, Wolfgang (1989), « Successful Adjustment to Turbulent Markets : The Automobile Industry » dans *Industry and Politics in West Germany : Toward the Third Republic*, (sous la direction de Peter J. Katzenstein), Cornell University Press, Ithaca.

STRUTHERS, James (1983), *No Fault of Their Own : Unemployment and the Canadian Welfare State, 1914-1941*, University of Toronto Press, Toronto.

THELEN, Kathleen A. (1991), *Union of Parts : Labor Politics in Postwar Germany*, Cornell University Press, Ithaca.

THOMAS, Mark (1988), « Labor Market Structure and the Nature of Unemployment in Interwar Britain » dans *Interwar Unemployment in International Perspective*, (sous la direction de Barry Eichengreen et T. J. Hatton), Kluwer, Boston.

TOLLIDAY, Steven (1995), « Enterprise and State in the West German Wirtschaftswunder : Volkswagen and the Automobile Industry », *Business History Review*, 69 : 273-350.

TURNER, Lowell (1992), « Industrial Relations and the Reorganization of Work in West Germany : Lessons for the U.S. » dans *Unions and Economic Competitveness*, (sous la direction de Lawrence Mishel et Paula B. Voos), M.E. Sharpe, Armonk, New York.

VAN AUDENRODE, Marc A. (1994), « Short-Time Compensation, Job Security, and Employment Contracts : Evidence from Selected OECD Countries », *Journal of Political Economy*, 102 : 76-102.

VERMA, Anil, et Joseph M. WEILER (1992), « Industrial Relations in the Canadian Telephone Industry » dans *Industrial Relations in Canadian Industry*, (sous la direction de Richard P. Chaykowski et Anil Verma), Holt, Rinehart and Winston, Toronto.

VOLKSWAGEN CENTRAL PERSONNEL AND COLLECTIVE AGREEMENT DEPARTMENT (1993), « Agreement on the Four-day Week », miméo.

WEIGART, Oscar (1934), *Administration of Placement and Unemployment Insurance in Germany*, Industrial Relations Counselors, New York.

WHITESIDE, Noel (1985), « Social Welfare and Industrial Relations, 1914-1939 » dans *A History of British Industrial Relations, 1914-39, Vol II*, (sous la direction de C.J. Wrigley), Wheatsheaf, Brighton.

WOYTINSKY, W. (1931), « Arbeitslosigkeit und Kurzarbeit », *Jahrbücher für Nationalökonomie und Statistik*, 134 : 13-48.

● Cap-Saint-Ignace
● Sainte-Marie (Beauce)
Québec, Canada
1996

«L'IMPRIMEUR»